69 secretos imprescindibles para disfrutar del sexo

D1455296

Prácticos
Sexualidad y Pareja

Alicia Gallotti
69 secretos imprescindibles
para disfrutar del sexo

mr · ediciones

Obra editada en colaboración con Ediciones Planeta Madrid, S.A. – España

© 2010, Alicia Gallotti
© 2010, Rebeca García Viña, por las ilustraciones
© 2010, Ediciones Planeta Madrid, S.A. – Madrid, España

Derechos reservados

© 2014, Editorial Planeta Mexicana, S.A. de C.V.
Bajo el sello editorial BOOKET M.R.
Avenida Presidente Masarik núm. 111, 2o. piso
Colonia Chapultepec Morales
C.P. 11570, México, D.F.
www.editorialplaneta.com.mx

Diseño de la colección: Laura Comellas / Departamento de Diseño,
División Editorial del Grupo Planeta
Ilustración de la portada: © Shutterstock

Primera edición impresa en España en Colección Booket: septiembre
de 2011
ISBN: 978-84-270-3778-6

Primera edición impresa en México en Booket: enero de 2014
ISBN: 978-607-07-1979-0

Impreso en los talleres de Litográfica Ingramex, S.A. de C.V.
Centeno núm. 162-1, colonia Granjas Esmeralda, México, D.F.
Impreso en México – *Printed in Mexico*

Biografía

Alicia Gallotti, escritora y periodista, es una de las más reconocidas especialistas en sexualidad en España y Latinoamérica debido a sus numerosos éxitos editoriales. Ha colaborado en la revista *Playboy* durante más de quince años, en diversas publicaciones femeninas y en programas de radio y televisión, siempre abordando diferentes aspectos del erotismo con un enfoque práctico y psicológico. Entre sus títulos destacan *El nuevo Kama-sutra ilustrado*, *Placer sin límites*, *Kama-sutra para la mujer*, *Kama-sutra para el hombre*, *Kama-sutra gay*, *Kama-sutra lésbico*, *Kama-sutra del sexo oral*, *Kama-sutra XXX*, *Juguetes eróticos*, *Sexo y Tantra* y *Kama-sutra: las 101 posturas más sensuales*. *Nuestras fantasías más íntimas* (Booket, 2010) es su primera obra de ficción. Con su colección de libros sobre orientación sexual alcanzó los primeros puestos de venta en Portugal. Su obra ha sido publicada en quince países y se ha traducido, entre otros, al portugués, al ruso y al catalán.

Más información en www.aliciagallotti.com

ÍNDICE

INTRODUCCIÓN

Aunque la sociedad occidental ha alcanzado un alto índice de evolución en todos los aspectos y también en el que se refiere a la visión y actitud ante la sexualidad, aún siguen vigentes muchos mitos y tabúes; numerosas personas siguen confiando en informaciones equivocadas, a la vez que han aparecido nuevos temores y, en no pocos casos, cierta confusión, provocados precisamente por los cambios en el pensamiento social.

Si bien cada vez es más igualitario el rol de la mujer en el área profesional y personal en relación a los hombres y en sus relaciones sexuales y afectivas con ellos, aún persisten en ambos sexos, pero sobre todo en la mujer, miedos y reparos, como, por ejemplo, en lo que concierne a disfrutar del sexo libremente dejándose llevar por los sentidos hasta alcanzar el placer.

La razón principal es que la libido es especialmente sensible y puede quedar afectada a raíz de una mala experiencia en el descubrimiento de la sexualidad en la infancia, de un entorno sociofamiliar que reprime en lugar de informar y promover una conducta natural o de una educación inadecuada por la transferencia de los conflictos de los padres a los hijos, entre otros.

De tal forma que el desconocimiento sexual, ya sea porque padres y educadores no han informado a la edad adecuada a las niñas o por no haberse atrevido ellas mismas a preguntar y desvelar sus dudas, en edades adultas genera conflictos, inhibiciones y problemas en el desarrollo saludable del erotismo.

En cuanto a los hombres, tradicionalmente han tenido mayor libertad y siempre se ha considerado que es natural que persigan la satisfacción sexual; pero también son muchos los que están desinformados, tanto en lo que respecta a su propia sexualidad como a la de las mujeres, lo que a la larga conduce a relaciones pobres y poco satisfactorias para ambos.

No obstante, las grandes distinciones con que la sociedad ha tratado a cada sexo han determinado diferencias tales como que ellos generalmente tienen una mejor relación con sus genitales, si la comparamos con la que tienen ellas.

Las páginas que siguen han sido escritas con el propósito primordial de informar sobre la sexualidad en su espectro más amplio, que incluye desde la esfera fisiológica y corporal hasta la emotiva y psicológica.

Al disponer hombres y mujeres de información correcta y completa no solo se comprenderán mejor a sí mismos en este plano, sino también a sus parejas y podrán escoger con total libertad el camino que los lleve al disfrute más pleno y vital, para lograr juntos las más altas cotas de placer y mutua comprensión.

Si en la naturaleza humana hay una fuerza verdaderamente intensa, capaz de satisfacer tanto en lo físico como en lo psíquico, esa es la energía sexual, pero es preciso alimentarla sanamente para que se desarrolle hasta el máximo de su potencial.

Los sentidos hablan en un lenguaje claro, inequívoco, y envían mensajes que no hay que soslayar; pero para ello es preciso, en primer lugar, conocerse y tener información veraz y, en segundo lugar, alcanzar una armonía emocional y física, porque ambas son las llaves del disfrute.

Es por eso que este libro contiene información clara y precisa para hombres y mujeres sobre la riqueza de su sexualidad, de modo que asuman una actitud activa en la satisfacción de su vitalidad y de sus sentidos, abandonando prejuicios y mitos falsos inculcados durante siglos.

Solo así podrán dejarlos atrás y volar en alas del goce sensual. Eso les brindará un grado de bienestar que se expresará en todas las áreas de su vida: algo que todos y cada uno, ya sea hombre o mujer, se merecen y tienen la posibilidad de conseguir.

1

COMUNICACIÓN Y SEXUALIDAD

En todos los aspectos de la vida y, sobre todo, en las relaciones afectivas es importante mantener un diálogo sincero y una comunicación clara; pero si hay un aspecto en el que esto cobra especial relevancia es en el sexual, ya que es la única manera de que cada integrante de la pareja sienta que su potencial erótico se desarrolla en armonía, compensándolo, tanto emocional como físicamente, hasta alcanzar la máxima plenitud del placer.

¿CUÁNDO ES PRECISO HABLAR?

La manera de hallar el camino para disfrutar de buenas relaciones sexuales no es únicamente verbalizar, aunque también esto es importante.

Trastornos o disfunciones como la impotencia o la ausencia de deseo en ella o él, entre otros, en muchos casos tienen causas psicosomáticas; de ahí la importancia de hablar para que la pareja no sienta que se debe a falta de interés o que se ha perdido la «química» sexual. Y si el diálogo no consigue resolver el problema, una terapia sexológica puede revertir la situación.

Se trata de escoger con acierto cuándo son necesarias las palabras y cuándo hay que valerse de gestos o caricias y dejar que «hablen» el cuerpo y la piel.

La sexualidad de cada persona es singular y distinta; por eso, no todos los modelos y prácticas eróticas satisfacen por igual a todas ellas. Lo que a algunas les lleva al máximo punto del morbo, a otras les puede molestar y generarles rechazo, y es positivo tener esto en cuenta y estar abiertos a que puedan aparecer desacuerdos o incomprensión desde el punto de vista erótico.

Asimismo, lo que un día es placentero y lleva a un disfrute extremo, puede no serlo en otro momento. Las razones de ello hay que buscarlas en que el estado anímico de las personas puede ser diferente en distintas situaciones, por motivos que son ajenos al sexo y a la propia relación; de manera que si esto ocurre es preciso, sí, comentarlo verbalmente, con total sinceridad. Tanto en estos casos como cuando se advierte incomodidad, falta de deseo o se nota algún tipo de disfunción, o simplemente desánimo, en lugar de insistir en mantener relaciones sexuales, es necesario hacer un alto y hablar del tema.

Sin embargo, no se trata de hacerlo en cualquier lugar o momento ni en un tono solemne que pueda poner al otro a la defensiva; tampoco de hacer recriminaciones o plantear quejas. Hay que hablar con tiempo y en un clima afectuoso, que facilite el diálogo, para que este resulte eficaz.

DEJAR QUE EL CUERPO SE EXPRESE

Un gesto, un ademán, una aproximación física o una caricia son a veces más elocuentes que las palabras. Todos ellos son buenos aliados de las personas tímidas e introvertidas o cuando aún no se goza de gran intimidad y confianza en la relación. Entonces es el momento de revelar cómo se desea ser estimulado, guiando al otro; de expresar el placer con un movimiento del cuerpo, una sonrisa o un sonido inarticulado y sensual, todos ellos indicadores del placer que señalarán el camino a los amantes, que los captarán rápidamente. Estos «mensajeros» hacen crecer la intimidad y crean una complicidad muy positiva en una relación sexual.

Porque no hay que olvidar que la «perfección» o la relación óptima, desde el punto de vista sexual, no existe. Se trata de recorrer un camino por el que ambos se vayan sintiendo cada vez más próximos en todo, y perciban y sientan una creciente satisfacción emotiva y sexual.

2

EL EROTISMO FEMENINO

En las últimas décadas del siglo xx se produjeron numerosos cambios sociales y, en ese contexto, las mujeres comenzaron a reivindicar su igualdad en diversas esferas y, sobre todo, el derecho a disfrutar libremente de su erotismo y no como había estado ocurriendo durante siglos, en que se las arrinconaba, obligándolas a mantener un perfil sumiso y dependiente de la sexualidad masculina.

Sin embargo, aún permanecen agazapados muchos prejuicios sexuales que las siguen limitando, lo que influye negativamente en ellas. Muchas mujeres todavía consideran que si el sexo no funciona bien es por su responsabilidad. Algunas, porque creen no ser lo suficientemente atractivas, porque piensan que no saben

Hay tantos modelos eróticos como personas; y, en el caso de las mujeres, cada una tiene su propia personalidad y su singular aproximación al sexo. Si es capaz de comunicarle a él con espontaneidad qué le gusta, cómo prefiere ser erotizada, qué la estimula y excita, sin inhibiciones ni falsos pudores, sabrá recibir y dar goce sensual, lo que enriquecerá las relaciones de pareja.

complacer a sus amantes o por otros motivos con los que se culpabilizan, lo que las inhibe de disfrutar libremente de su cuerpo y de sus relaciones amorosas.

Hombres y mujeres tienen en este aspecto una asignatura pendiente: descubrir que el mundo de la sensualidad femenina es rico y singular y que explorarlo puede brindar un placer infinito a ambos sexos.

3

EL EROTISMO MASCULINO

Hoy día ha cambiado mucho el pensamiento sobre la sexualidad masculina. Atrás quedaron viejas ideas como que
él siempre estaba preparado para «cumplir», que se excitaba ante cualquier situación y que por sus características biológicas debía llevar la iniciativa, sin tomar en
cuenta su carácter o su estado de ánimo.

Pensar así solo conduce a la frustración
y a la baja autoestima, ya que no a todos
les resulta atractiva cualquier mujer que
tengan delante, sino que, además, son
sensibles como cualquier persona al temor,
el estrés, la tristeza y otras influencias emo-
cionales que pueden llegar a minimizar sus
instintos sexuales y anular su deseo.

Afortunadamente, son muchos los
hombres que actualmente han abierto sus

Abandonar para siempre los falsos mitos que en el pasado han limitado la sexualidad masculina, tales como su eterna potencia sexual, el tamaño del pene como garantía de placer y tantos otros, es el mejor camino para vivir libremente el erotismo, sin obsesionarse con la búsqueda de la perfección sexual: algo que no existe, al igual que en ningún aspecto de la vida.

mentes y son capaces de disfrutar de una sexualidad tan libre como compartida con las mujeres.

De manera que se excitan tanto teniendo un rol activo como dejando que sean ellas las que lleven las riendas del encuentro sensual, sin prejuicios ni normas preestablecidas, lo que ha significado una verdadera liberación y enriquecido el placer mutuo de los amantes.

4

ELLA Y SUS GENITALES

La identidad sexual femenina es singular, muy compleja y maravillosamente rica en sus posibilidades de disfrute.

Sin embargo, muchas mujeres desconocen su aparato genital o solo lo conocen parcialmente, y son dos las principales razones que motivan ese desconocimiento.

LA RAZÓN FISIOLÓGICA

Los genitales de ellas se dividen en externos e internos, pero la mayor parte de los mismos son del segundo tipo, como es el caso de los ovarios, alojados en el interior del cuerpo y que, por tanto, quedan ocultos a la vista.

En realidad, tampoco los externos son realmente visibles, porque incluso la vulva está encerrada entre los muslos. Y ese es el motivo de que muchas mujeres desconozcan su aparato genital o solo lo conozcan superficialmente.

Pero, en cambio, es posible verse los senos que, aunque no son órganos genitales, pertenecen a la esfera sensual por su sensibilidad erótica.

UN MODELO ANTICUADO

En este caso, no es cuestión de fisiología; es decir, la segunda razón del desconocimiento mencionado no depende de que los genitales estén velados por pliegues y repliegues de la piel y, además, la mayor parte del tiempo cubiertos por la ropa, sino que se trata de condicionamientos de tipo psicológico y social. Es casi imposible hallar a una mujer que desde su primera infancia no haya vivido la represión impuesta por su familia y su entorno en forma de mensaje claro acerca de lo negativo que resulta mirar o palpar sus genitales.

De hecho, para muchas mujeres todavía son partes del cuerpo «innombrables»

Es casi imposible hallar a una mujer que desde su primera infancia no haya vivido la represión impuesta por su familia y su entorno en forma de mensaje claro acerca de lo negativo que resulta mirar o palpar sus genitales.

o cuyos nombres se disfrazan con motes, más incorporados a la broma que a una sana educación.

CONÓCETE A TI MISMA

Una sexualidad saludable y plena comienza conociendo los propios genitales. La perfecta máquina del cuerpo no contiene zonas mejores o peores, buenas o malas, limpias o insanas. Todas ellas son igualmente necesarias e importantes, y las que provocan disfrute, más aún.

Con la misma naturalidad y sencillez con la que se mira el propio rostro en un espejo, es posible mirarse desde el pubis hasta el perineo y ver e incluso tocar distintos puntos del aparato genital, lo que, además de un descubrimiento, supone un placer que suele producir una agradable excitación sexual.

El recorrido se inicia con la observación del monte de Venus, cubierto por el vello púbico, que resguarda esta delicada zona de la anatomía femenina.

Es un pequeño triángulo, distinto en

cada mujer: algunas tienen el pubis más elevado o redondeado y en otras es más plano; unas tienen el vello que lo recubre ensortijado o lacio y más o menos abundante. Aunque en la mayoría de los casos el color del vello púbico es el mismo que el del cabello, curiosamente, en algunas mujeres es de otro tono; sin embargo, esa variación es completamente normal.

Este vello prolonga su crecimiento hasta cubrir también los labios exteriores o mayores, que asimismo se diferencian de una mujer a otra. Además de mirarlos reflejados en el espejo, al palparlos se sentirá su grosor, la temperatura, el tono muscular de la piel interna y el grado de sensibilidad que tienen al tacto; son muy receptivos debido a la gran cantidad de vasos sanguíneos que riegan su carnoso tejido.

No obstante, en todos los casos, los labios mayores tienen una textura exterior similar a la del resto de la piel del cuerpo, y, con mínimas diferencias, su longitud varía en cada mujer.

LO QUE REVELA EL ESPEJO

Si una mujer se sienta justo al borde de una superficie, con las piernas adecuadamente abiertas, y enfoca su vulva con un espejo de mano, que puede disponer si se prefiere de una lente de aumento, podrá observar la parte interior de los labios mayores, junto con los labios menores, el clítoris y el orificio vaginal. Allí la piel es de tejido fino y sensible, percibiéndose al tocarlos una humedad característica.

Los labios menores, a los que también se conoce como ninfas, son de forma alargada; pueden ser muy pequeños o tan grandes que, en algunos casos, se asoman por entre los exteriores.

El tejido de las ninfas es delicado, suave, y su color va de un rosa pálido a más oscuro, en relación al color de la piel del cuerpo. Extremadamente sensibles a la estimulación erótica, son la antesala de un goce supremo. Por un lado, porque son el envoltorio del meato uretral y del orificio de la vagina, en la zona del vestíbulo; es decir, en el camino que conduce hacia el orificio vaginal y la uretra, profusamente poblada de terminaciones nerviosas, lo que provoca un intenso placer al ser excitada.

En el interior de estos labios y a cada lado de la abertura vaginal están las glándulas de Bartholin, que segregan un par de gotas lubricantes justo antes del orgasmo, aunque esto no es esencial para la cópula y la ciencia no ha hallado la razón por la que se genera este proceso.

Por otro lado, en la confluencia de los labios menores está el clítoris y en el espacio que hay entre este y la vagina se encuentra el orificio uretral, que a través de un conducto corto, la uretra, se conecta a la vejiga. Pese a su cercanía con los genitales, estos tres órganos pertenecen al aparato urinario.

El tejido de la vulva se nota constantemente húmedo porque la zona genital femenina está densamente poblada de glándulas que segregan flujos lubricantes.

EL CENTRO DEL PLACER

Los labios menores de la vulva casi consiguen ocultar el botón clitórico, sin duda el centro indiscutido del placer sexual femenino. A tal punto que los célebres investigadores Masters y Johnson, de reconocida seriedad científica, afirman que no hay otro órgano, salvo el clítoris, cuya única función sea recibir y transmitir estímulos sexuales.

El clítoris es un ligamento corto que conecta el hueso de la pelvis con un órgano que, a menudo, se compara con un pene pequeño. Sin embargo, aunque su origen en el embrión es el mismo, es erróneo compararlo con el falo, ya que no forma parte del aparato reproductor ni urinario.

La zona del clítoris que se ve es el glande, también llamado en ocasiones tallo del clítoris; su tamaño es aproximadamente el de un guisante, tiene una textura flexible y, por lo vulnerable de su tejido, que abunda en terminaciones nerviosas, está protegido por una membrana o capu-

No hay un tamaño ni una forma únicos de clítoris, sino que en cada caso es diferente; pero lo invariable es que la punta o glande emerge al ser estimulada y es la zona de máxima sensibilidad erógena.

chón exterior, similar al prepucio masculino. Ese tejido es de tipo esponjoso y con capacidad eréctil; de manera que aumenta su tamaño durante la excitación al llenarse los vasos sanguíneos que lo recorren.

Durante mucho tiempo se mantuvo la idea de que la longitud total del clítoris era de unos tres centímetros; sin embargo, en realidad puede llegar a medir hasta diez, sumando la parte visible y la que permanece escondida, que, además, no es posible palpar.

No hay un tamaño ni una forma únicos de clítoris, sino que en cada caso es diferente; pero lo invariable es que la punta o glande emerge al ser estimulada y es la zona de máxima sensibilidad erógena.

DESLUMBRANTE DESCUBRIMIENTO

Al margen de su estructura fisiológica, lo central es que el clítoris es una fuente inagotable de posibilidades de goce para la mujer. Sin su estímulo es prácticamente imposible alcanzar el clímax y es también el responsable de su capacidad multiorgásmica, una característica sexual de la que solo ella disfruta y que le permite encadenar varios orgasmos sin necesidad de descansar y recuperarse entre ellos.

Su vulnerabilidad es extraordinaria aunque también variable y es preciso que cada mujer conozca su grado, ya que una excitación muy prolongada, repetitiva o ruda puede hacer que, en un instante, el placer se convierta en molestia o dolor e incluso que la zona pierda sensibilidad.

El estímulo del clítoris siempre debe estar precedido por una adecuada lubricación, ya sea la que naturalmente aporta el flujo vaginal durante la excitación o humedeciendo ese punto con saliva o con un lubricante. Uno de los juegos sensuales más satisfactorios para ella es la caricia oral y también el roce clitórico que se produce durante la penetración.

Pero cada mujer sabe mejor que nadie el tipo de roce, caricia o estímulo que prefiere, porque le resulta más placentero.

En su interior

el clítoris se separa en forma de letra V, formando dos raíces de hasta diez centímetros cada una, que recorren la parte frontal y ambos lados de la uretra, así como la entrada vaginal. En este recorrido hay dos bulbos que experimentan una erección cuando ella se excita. A medida que el ardor es mayor, van aumentando de tamaño y hacen que se contraiga más el tercio inferior de la vagina, multiplicando las sensaciones.

UNA APROXIMACIÓN SENSUAL

En primer lugar, para muchas mujeres no siempre es grato que la estimulación del clítoris se realice directamente, sin una previa excitación suave y paulatina de la vulva. Algunas prefieren un acercamiento lento, la exploración delicada del pubis, los juegos con el vello, los mimos en los labios mayores y menores, ya sea con la yema de los dedos o la lengua, porque eso eleva el nivel del ansiado contacto. Si la zona no está húmeda, lamerla o mojar un dedo en saliva para lubricarla naturalmente también es muy estimulante.

En el punto álgido del clítoris, el contacto debe ser lento al inicio y luego deslizar la caricia hacia arriba y hacia abajo, alternando la presión y el ritmo, siempre cuidando de no dañar con las uñas el delicado tejido.

A algunas mujeres les excitan más los roces lentos y espaciados; a otras, la rapidez y la caricia constante. De igual forma, hay quienes se encienden con la presión intensa o con la suavidad extrema. El ritmo que se imprime a la lengua o a los dedos que rozan y palpan también provoca un amplio abanico de sensaciones. Y tampoco es ajeno al disfrute frotar rítmicamente a ambos lados del botón, o en su parte superior. Un indicio claro lo ofrece la percepción de goce creciente, el ansia de que continúe y se prolongue la caricia, la temperatura que se eleva en todos los rincones de la piel y, por supuesto, la lubricación que va fluyendo, así como el crecimiento y la erección del clítoris, que alcanza cada vez una mayor tensión sensitiva.

Bajo la base de este órgano, y rodeado por los labios menores, se sitúa el llamado introito vaginal, que no es otra cosa que la puerta de entrada al conducto vaginal, que pertenece ya al aparato genital interno.

LA REGIÓN MÁS ÍNTIMA

Entre el orificio vaginal y el anillo del ano se extiende la zona llamada perineo. De extremada sensibilidad por estar reco-

Para elevar el goce se pueden practicar los ejercicios de Kegel: consisten en fortalecer el músculo pubocoxígeo o PC, situado en el suelo pélvico. Hay tres tipos: contraer el PC como para detener la orina, contar hasta tres y relajarlo; contraerlo y relajarlo velozmente, y, por último, elevar la base de la pelvis como si se fuera a introducir agua en la vagina y luego intentar su expulsión.

rrida por innumerables vasos sanguíneos y terminales nerviosas, muchas mujeres consideran esta parte de sus genitales privilegiadamente erógena. Para saberlo, hay que palpar, rozar, pellizcar y acariciar de diversas maneras el perineo hasta desvelar sus posibilidades de goce.

Al llegar a las proximidades del ano, después de palpar el orificio exterior y conocer qué sensaciones provoca al tacto, su sensibilidad y textura, estaremos ante la puerta de una zona recóndita e íntima, que algunas mujeres tienen reparo en traspasar e incorporar a sus vivencias eróticas.

El esfínter anal es un músculo muy potente en forma de anillo —como todos los esfínteres— que reacciona cerrándose con fuerza primaria ante la posibilidad de ser traspasado. Pero inversamente, tiene una gran capacidad de dilatación y ensanchamiento. Si se explora con un dedo el interior del ano, para lo que es necesario utilizar las máximas precauciones y una buena dosis de lubricante, se apreciará su suavísimo tejido.

La delicada y reactiva zona del exterior no solo aporta placer al ser estimulada directamente con besos o caricias, al igual que ocurre con el interior del conducto anal, sino que también reacciona emitiendo sensaciones eróticas en forma de onda a las percepciones de placer que se registran en el clítoris y en la vagina. Esas percepciones se expresan en forma de latidos, dilatación o aflojamiento de sus músculos cuando es «invadido» por el placer.

NO SOLO LOS GENITALES

Además de los genitales, hay otras áreas sensibles en el exterior del cuerpo femenino que, sin ser parte de los mismos, están a la vista y proporcionan un enorme goce erógeno durante los juegos sensuales; este es el caso de los senos, entre otros puntos potencialmente provocadores de placer sensual.

Dentro de cada uno de los pechos femeninos se alojan entre quince y veinte glándulas mamarias que adoptan una for-

Los pezones tienen en cada mujer formas y tamaños distintos, así como colores variables que van desde el rosa pálido hasta el morado, pasando por tonos tostados más o menos intensos, generalmente en función de la pigmentación de la piel del resto del cuerpo, lo que es completamente natural y no incide en la salud ni influye en la capacidad sensitiva.

ma arracimada. Como otras partes del aparato genital, en este caso los pechos las contienen por su función reproductora, no porque intervengan en la sexualidad.

Desde cada glándula se extiende un conducto en dirección al pezón y entre ellas hay un tejido acolchado de suave textura y gran contenido graso. Es este el que determina el tamaño de los pechos; las glándulas son prácticamente iguales y bastante pequeñas en todas las mujeres.

Por su parte exterior, en el centro de la copa del seno se encuentra el pezón, rodeado por una zona de piel más oscura llamada areola, que se va oscureciendo aún más durante los embarazos, a raíz de los partos y, en general, a medida que la mujer se hace mayor.

Las formas y tamaños de los pechos femeninos son muy diferentes entre sí; casi se podría decir que son innumerables los «modelos», y ninguno de ellos tiene por qué parecer más bonito que otro. Hay copas grandes y redondeadas, otras de formato cónico, unas se orientan hacia arriba o hacia abajo y otras en dirección lateral opuesta, cada una.

De igual manera, en algunas mujeres hay una mínima variación de tamaño entre ambos pechos y, en otras, la diferencia es realmente notable. Hay quienes deciden recurrir a la cirugía para minimizar esa diferencia, aunque también para aumentar o mermar su tamaño o para cambiar su forma.

CENSORES SENSIBLES

Los pechos femeninos, como algunas otras partes del cuerpo, entre ellas el vientre, son verdaderos censores hormonales para la mujer. En períodos de ovulación, menstruación, embarazo y otros en los que las hormonas juegan un importante papel, los senos lo reflejan. En ocasiones se inflaman y adquieren una sensibilidad máxima que hasta un leve roce puede molestar o incluso provocar dolor en la zona.

Lo que es innegable y generalizado es el placer sexual que ofrecen y que son capaces de percibir con la estimulación eró-

El intenso disfrute erótico que ofrecen las caricias, los lametones y otros juegos en los pechos, unido al sentimiento de culpa que a muchas mujeres se les ha inculcado con respecto a la sexualidad, ha hecho que proliferen mitos tales como que estimular esa zona puede generar enfermedades. Nada más lejos de la realidad, esas ideas carecen de base científica que las corrobore, no son más que prejuicios y desconocimiento.

tica. En particular, los pezones, que son de tejido eréctil y crecen tensándose con el deseo y la excitación; esto ocurre también porque están densamente poblados de terminaciones de extrema sensibilidad.

Durante el coito, incluso, muchas mujeres notan cómo sus pechos crecen, elevan su temperatura y los vasos sanguíneos que los irrigan dibujan manchas rojas en la piel.

UN ALTO EN EL CAMINO

A partir de este momento, el itinerario del autoconocimiento del aparato genital de ella será táctil, ya que no es posible usar la vista para examinar los órganos sexuales internos.

Pero el viaje que sigue es igualmente apasionante y el tacto informa muy expresivamente sobre las sensaciones que se generan en sitios recónditos, como, por ejemplo, el interior del canal vaginal.

La vagina es un conducto orientado hacia arriba y hacia atrás que en su fondo se une al cuello uterino o cérvix. Su longitud es sumamente variable, estando todos los tamaños, tanto más o menos largos como más o menos anchos, dentro de lo natural.

En algunas mujeres que aún no han tenido relaciones sexuales se puede hallar un repliegue o membrana que cierra parcialmente la entrada de la vagina y que se conoce como himen. Durante mucho tiempo se consideró que su presencia era la prueba indiscutible de la virginidad femenina y, por el contrario, que si este estaba rasgado significaba que la mujer ya había mantenido relaciones sexuales. Esta idea incluía que la primera vez que una mujer era penetrada se rompía dicha membrana y, en consecuencia, aparecían rastros de sangre más o menos abundantes.

Como tantas otras creencias obsoletas en materia sexual, hoy está científicamente comprobado que no es así. En primer lugar, porque en muchos casos el himen desaparece a edades tempranas por la práctica de ejercicios bruscos u otras razones; y, en segundo lugar, porque a veces su tejido es tan elástico que durante la primera penetración no se rasga, ni mucho menos se produce sangrado.

Para conocer el conducto vaginal es posible introducir uno o varios dedos, aunque con extremo cuidado y preferentemente con el dedo impregnado en un producto lubricante adecuado para esa zona.

En posición normal, las paredes vaginales se rozan entre sí; al internarse entre ellas, abriendo suavemente los labios menores, se aprecia su temperatura, lo dúctil de su tejido, capaz de albergar un tampón o penes de diverso diámetro y, sobre todo, para permitir el paso de un bebé dilatándose lo necesario para ello durante el parto.

Al tacto, la zona es una membrana mucosa semejante a la del interior de la boca, de tejido arrugado y sedoso. Aunque rica en vasos capilares, es en cambio pobre en terminaciones nerviosas; sus paredes segregan sustancias que mantienen un grado de acidez o pH de entre 4 y 5. La vagina se va limpiando por sí misma y

defendiéndose con los propios agentes
que excreta sin necesidad de utilizar productos especiales que, lejos de mejorar su
higiene, pueden alterar su normal equilibrio y su salud.

Su grado de sensibilidad tiene un espectro amplísimo y ninguna mujer se parece a otra en las sensaciones vaginales que
nota.

CUESTIONES MUY PERSONALES

La autoexploración vaginal es una buena oportunidad para comprobar directamente una teoría que hace unas décadas
cobró mucho auge, a la vez que generó
una importante polémica: la existencia del
punto G.

Algunos investigadores afirmaron que,
en la parte superior de la pared interior
de la vagina, hay una zona de algo más de
tres centímetros de ancho, de tejido más
rugoso que el resto de la piel del canal vaginal, y cuya respuesta a los estímulos sensuales provoca un placer extremo, al que
sucede un intensísimo orgasmo, produ-

No hace mucho tiempo que ha sido demostrado por medios científicos que, desde el punto de vista anatómico, el llamado «punto G» no existe; sin embargo, algunas mujeres creen que sí. De modo que se trata de una percepción psicológica. Lo que ocurre es que cuando el placer orgásmico es muy intenso, la zona perianal se relaja, provocando la emisión de gran cantidad de flujo vaginal, lo que no puede llamarse «eyaculación».

ciéndose una emisión de flujo abundante similar a la eyaculación de esperma masculino. No obstante, hay infinidad de mujeres que nunca han sentido nada especial en dicho punto. Lo que sí es más frecuente es que, cuando están excitadas, perciban en el conducto vaginal reacciones sensuales propias y de carácter singular. Otras, en cambio, expresan que lo que sienten es un reflejo de los estímulos que excitan otras zonas erógenas, como el clítoris, los senos o la zona perineal. En realidad lo que sucede es que al relajarse y entregarse al disfrute, o durante el orgasmo, se emite un abundante flujo vaginal que humedece los muslos e incluso en ocasiones hasta se mojan las sábanas.

Para buscar el punto G basta con situar bajo las nalgas un cojín, para que la pelvis quede elevada, y luego tantear con el dedo suavemente; puede que se halle el punto de tejido rugoso mencionado; en tal caso, solo resta comprobar si al rozarlo se provoca o no alguna reacción.

SENTIR PARA SABER

La apertura exterior de la vagina, la más próxima a la entrada, suele ser la que más reacciona a la estimulación al estar rodeada por las raíces y los bulbos clitorianos, además de sus muchas terminales sensibles. Los espasmos del placer hacen que involuntariamente se contraiga provocando impulsos de intensa sensualidad.

A algunas mujeres les provoca un profundo placer el roce o el golpeteo sobre el cuello del útero o cérvix, que suele recibir estos estímulos durante la penetración, si esta es profunda. Otras, en cambio, indican que no les parece estimulante porque les molesta este contacto y, en ocasiones, hasta les resulta doloroso.

En este momento del itinerario, una mujer ya ha reconocido con claridad qué sensaciones se despiertan al palpar varios de sus órganos genitales. Sin embargo, el camino de conocimiento aún sigue y es igual de placentero y sorprendente que el recorrido hasta ahora.

Las secreciones

vaginales son transparentes e inodoras. Si su composición o equilibrio se ven modificados la mujer se expone a padecer infecciones, micosis y otros trastornos. Estos pueden ser provocados por antibióticos o algunos anticonceptivos, así como por usar ropa muy ajustada. Las telas de tipo sintético, las duchas vaginales y el uso de productos desodorantes a veces irritan la zona o generan alergias.

43

Precisamente el cérvix se encuentra al final del conducto vaginal, pertenece al propio útero; concretamente, es la parte inferior del mismo.

Su forma es redondeada y si se alcanza a palpar se apreciará que la zona es de piel resbaladiza y que tiene una hendidura en el centro. A través de la misma se excreta el flujo menstrual, como asimismo se produce la secreción de sustancias químicas que ayudan a mantener el equilibrio y la salud interior de la vagina.

Al llegar el momento del parto, el cuello uterino se dilata para que el bebé alojado en el útero lo atraviese y se dirija hacia el conducto vaginal para, al final del mismo, emerger al exterior en el momento de nacer.

EL NIDO INTERIOR

El cuello es la parte inferior del útero porque este órgano hueco, destinado a la función reproductora, tiene la forma de una pera invertida. Es allí donde el óvulo fertilizado se instala y se va desarrollando hasta el nacimiento del bebé.

La parte más alta de este órgano se denomina fundus y, de las tres capas que lo conforman, la más interna se llama endometrio y está recorrida por multitud de vasos sanguíneos y glándulas.

El tejido endometrial se deshace y se vierte, pasando a través del cuello uterino y el canal vaginal, mensualmente, durante el período menstrual.

Lo habitual es que esté inclinado hacia adelante pero hay un 10 por ciento de mujeres en las que la inclinación uterina es hacia atrás; esto en general no crea ningún problema, salvo en algunos casos en que al practicar el coito en determinadas posturas sienten molestias o dolor.

El útero está unido a la pelvis a través de ligamentos flexibles y en mujeres que aún no han tenido hijos tiene unos 76 milímetros de largo e igual tamaño de ancho. Su grosor en la parte más alta es de unos 25 milímetros. Después de dilatarse ampliamente para albergar al feto vuelve a

Cuando la excitación es muy intensa, la musculatura que sostiene el útero se tensa y lo eleva, descubriendo el fondo del saco vaginal posterior. Si el pene empuja con golpeteos cortos, a la mujer le resulta muy placentero. Para favorecer este juego sensual, las mejores posturas son la penetración desde atrás o que ella lo abrace con las piernas flexionadas o apoye las pantorrillas en los hombros masculinos.

encogerse, aunque su tamaño se ve aumentado en relación al original.

No obstante, su tamaño y estructura varían según la fase del ciclo menstrual en la que se encuentre la mujer y también en función de su edad.

En ocasiones, el tejido del endometrio crece hacia otras zonas del aparato reproductor e incluso hacia la cavidad abdominal, provocando intensos dolores menstruales. Se trata del trastorno denominado endometriosis que es necesario tratar, ya que puede generar infertilidad y otros problemas de menor o mayor gravedad, que suelen resolverse con un tratamiento quirúrgico.

LA AVENTURA DE LA VIDA

En la zona final superior del útero hay dos tubos, llamados trompas de Falopio, que lo conectan con los ovarios; al acercarse a estos se ensanchan, tomando la forma de ampollas. Los óvulos pasan por las trompas de Falopio cuando se dirigen al útero y, al hacerlo, son nutridos por ellas,

que, además, los van empujando lentamente en su recorrido a través de unos
pelillos o cilios. Los óvulos deben ser fertilizados aproximadamente entre uno y
dos días después de salir de los ovarios,
lo que ocurre en la zona exterior de cada
uno de los mismos, conocida como infun-
díbulo.

A algunas mujeres que no quieren procrear se les practica un método de esterilización que consiste en la ligadura de las
trompas de Falopio para que los óvulos
no puedan atravesarlas y ser fecundados.

Los ovarios son dos órganos en forma de almendra situados a ambos lados
del útero. Miden unos 40 milímetros de
longitud y producen los óvulos; es decir,
las células que son semillas de vida, al ser
fecundadas, y varios tipos de hormonas
sexuales femeninas, como la progesterona
o los estrógenos.

Las mujeres al nacer ya tienen en su
organismo del orden de dos millones de
óvulos, que son todos los que tendrán en
su vida, aunque no están maduros. Al llegar a la pubertad, unos cuatrocientos mil

Algunos óvulos

fecundados, en
lugar de implantarse
en el útero, lo
hacen fuera del
mismo,
generalmente en
una de las trompas
de Falopio. A esto
se lo denomina
embarazo ectópico,
término de origen
griego que significa
fuera de lugar. El
embarazo de estas
características no
puede llegar a
término, pero si se
detecta a tiempo
no se producen
daños ni afecta a la
fertilidad.

siguen vivos y cada uno, envuelto en una cápsula o folículo, se aloja en el interior de uno u otro de los ovarios.

Pero durante la etapa fértil de la mujer, entre la primera menstruación y la menopausia, solo madurarán aproximadamente cuatrocientos, que pueden ser fertilizados, a razón de uno cada mes.

5

EL «MENSAJE» DE LAS HORMONAS

En el organismo hay células que segregan sustancias que intervienen en diversos procesos fisiológicos: son las hormonas. Como viajan constantemente por la sangre se las llama mensajeras químicas.

Las hormonas sexuales actúan ya en los cinco primeros meses de gestación y determinan el sexo de cada ser humano.

En la infancia permanecen latentes hasta que despiertan durante la pubertad, generando un proceso que lo cambia todo. Las hormonas femeninas más importantes, el estrógeno y la progesterona, junto a la madurez del aparato genital y la menstruación, que permiten concebir, hacen que se redondeen las caderas, crezcan los pechos y aparezca vello en axilas y pubis.

Hombres y mujeres producen hormonas sexuales del género opuesto. Un ejemplo de ello es la testosterona, típica hormona sexual masculina, que es asimismo producida por los ovarios y, en este caso, se denomina androstendiona. Otra, también propia del hombre, como el antrosdano, genera los estrógenos: hormonas femeninas por excelencia.

Además envían un mensaje sexual. Si bien las hormonas no son lo único que determina el deseo y el nivel de la libido, ya que el erotismo abarca una esfera más amplia que incluye tanto la mente como el cuerpo y factores personales de interés social y cultural, sin ellas no sería posible la sexualidad.

6

EL CICLO MENSTRUAL

A partir de los doce o trece años, las niñas tienen por primera vez la menstruación, también llamada regla, período o flujo menstrual, entre otros. Lo mismo ocurrirá mensualmente a lo largo de entre treinta o treinta y cinco años, hasta el momento en que llega la edad de la menopausia o climaterio.

La regla es una pequeña hemorragia vaginal causada por el desplazamiento de una parte del endometrio, que es la mucosa que recubre la cavidad del útero. La cantidad de sangre que fluye es variable: en unas mujeres es más abundante que en otras, al igual que es distinta su duración, que, por lo general, es de entre tres y cinco días, aunque algunas mujeres tienen menstruaciones de hasta una semana.

Las hormonas femeninas, estrógeno y progesterona, son las que regulan el ciclo menstrual, que se divide en cuatro fases. En la primera, inmediata a que se acabe una regla, suben los niveles de estrógeno y comienzan a madurar entre diez y veinte óvulos, a la vez que el tejido del útero se hace más grueso.

En la segunda etapa, el estrógeno sube hasta su máximo nivel y se produce la ovulación. Lo normal es que solo uno de los óvulos madure para ser liberado por un ovario. Comienza entonces la tercera fase, que sigue a la ovulación y se conoce como luteal o secretoria. En ella se genera todavía mayor cantidad de hormonas y la progesterona hace aumentar también el grosor del útero para que pueda dar cabida a un embrión, en el caso de que el óvulo sea fertilizado.

Es precisamente cuando esto último no ocurre, porque ningún espermatozoide ha fecundado un óvulo maduro, cuando los niveles hormonales descienden hasta sus mínimos y se inicia la cuarta fase: esa es precisamente la menstrua-

Muchas mujeres sienten que su apetito sexual es mayor y, en general, está comprobado que la mayoría de ellas alcanzan más fácilmente el orgasmo durante los días de la regla. Sin embargo, también hay mujeres que tienen una ausencia total de deseo en el mismo período.

ción; seguidamente recomienza un nuevo ciclo.

Entre una y otra regla pasan aproximadamente veintiocho días, aunque también es normal que el intervalo sea más corto o más largo, de veinticinco si es de los primeros o de treinta y dos o treinta y tres días en el caso contrario.

MOTIVOS PARA LA IRREGULARIDAD

Aunque son las hormonas las que regulan el tiempo que pasa entre cada ciclo menstrual, ciertos factores psicológicos también pueden intervenir en su duración. En ocasiones, los nervios o el estrés pueden adelantar o retrasar la regla. Ciertas mujeres, incluso, al tener altos niveles de estrés dejan de menstruar o les sucede que, entre una y otra menstruación, el período se prolonga tanto como para pensar que están embarazadas, aunque hayan utilizado métodos anticonceptivos en sus relaciones sexuales.

No obstante, hay dos épocas en la vida fértil femenina en que lo más común

Aunque hay ideas erróneas y tabúes sobre el tema, en realidad no hay ninguna contraindicación para mantener relaciones sexuales durante la regla. Sin embargo, ya sea porque el hombre siente reparo ante la sangre o la mujer se nota incómoda, hay un descenso notable de la práctica erótica durante la menstruación.

son las irregularidades, ya sean adelantos o retrasos en la regla. Uno de ellos es cuando las adolescentes comienzan a menstruar, generalmente durante todo el primer año; y el segundo, al comenzar la etapa en que se acerca la menopausia, que puede extenderse largamente, siendo en algunas más temprana, al principio de la cuarentena, y en otras más tardía, al final de esta o sobre los cincuenta años, aproximadamente, hasta que la regla se retira completamente.

7

SÍNDROME PREMENSTRUAL

En los días previos a la menstruación algunas mujeres sienten dolor de cabeza, tienen el abdomen hinchado, sufren estreñimiento o diarrea e incluso tienen calambres. Además, junto a estas molestias o de forma aislada, pueden también tener otros síntomas de tipo emocional: nerviosismo, falta de energía o somnolencia y extrema sensibilidad, con frecuentes episodios de llantos sin motivo especial.

El 1931, el doctor Robert Frank describió este cuadro como síndrome premenstrual. Según afirman algunos especialistas, el conjunto de síntomas que se conoce con este nombre afecta a un 40 por ciento de las mujeres, siendo agudo en un 10 por ciento, en que se denomina trastorno disfórico premenstrual. Aunque hay estudios que establecen que puede ser mayor el porcentaje, abarcando desde un 30 hasta un 80 por ciento de la población femenina en edad fértil que lo padece. Pero, en general, solo un 5 por ciento necesita alterar su vida diaria por este motivo.

Tampoco hay acuerdo sobre si con la edad se agrava. Ciertos expertos afirman que es más molesto a medida que la mujer se va haciendo mayor, mientras que otros sostienen que las adolescentes se ven afectadas en la misma proporción que las mujeres adultas.

Las causas de este trastorno no se conocen con exactitud y por lo general se atribuyen a problemas hormonales, al estrés o a una alimentación incorrecta.

8

ASÍ REACCIONA LA MUJER

Ellas se van excitando, poco a poco, a medida que su mente y su cuerpo responden a los estímulos sexuales, ya sea cuando se están masturbando, como si es el amante el que mima sus zonas erógenas o, sencillamente, cuando hay algo que les despierta la libido: una imagen, un recuerdo, una fantasía erótica. Sus sentidos captan las sensaciones de placer que, al transportarse a las terminaciones sensibles de todo el territorio de su piel, van generando reacciones físicas de distinto tipo que indican cómo crece paulatinamente su grado de deseo y va elevándose su tensión erótica.

PRIMERA FASE

Los expertos en sexualidad Masters y Johnson establecieron que la excitación femenina no es súbita, sino que se produce a lo largo de un ciclo de respuesta creciente que se divide en cuatro fases bien diferenciadas.

Se inicia con la fase llamada de excitación, cuando la mujer comienza a sentir deseo que, físicamente, se expresa en señales muy claras, provocando dos fenómenos fisiológicos: la vasocongestión y la miotonía.

La primera es la turgencia de los tejidos de los órganos genitales, la vulva y el clítoris, y también de los pezones y areolas o los lóbulos de las orejas. Esto ocurre porque reciben una mayor afluencia de sangre y se congestionan.

Si son mujeres que ya han tenido hijos, los labios mayores aumentan de tamaño y grosor, llegando a veces a triplicarse, mientras que los menores se tiñen de un color rojo oscuro. En las que no han sido madres, el tejido de los labios menores se hace más suave y se afina su volumen, y adquieren una tonalidad de un rojo brillante. También se oscurece y ensancha el tejido interior del conducto vaginal, comienzan a crecer los pechos, se notan los pezones erectos y, aunque no se ve, el útero se expande y eleva. Entre diez y treinta segundos después de iniciarse esta fase comienza a lubricarse la vagina.

La miotonía es la tensión de los músculos, que provoca contracciones, gestos incontrolados en el rostro, espasmos y movimientos involuntarios en manos y pies, debido al ansia sensual y al cosquilleo del disfrute que recorre cada rincón del cuerpo.

Otros signos propios de este momento son que la lubricación y la dilatación vaginal siguen aumentando, se produce el aplanamiento y la separación de los labios mayores, los latidos del corazón se aceleran, la respiración es ligera y agitada, e incluso puede aparecer el rubor sexual, unas manchas rojizas en la zona del pecho, la cara, los hombros, la espalda y otros puntos, semejante a un sarpullido.

La vasocongestión

también genera que la abertura vaginal se contraiga, para «abrazar» el pene. En su interior, la vagina va dilatándose cada vez más, el útero sube al máximo, el clítoris se oculta tras su capucha protectora y se acorta. Y aunque eso puede dar la idea de que la excitación se está atenuando, en realidad es que va creciendo.

Esta primera fase puede durar solo unos minutos o alargarse durante una hora aproximadamente.

SEGUNDA FASE

La siguiente fase se llama de meseta y su duración varía entre los treinta segundos y los tres minutos. Se llama así porque la excitación permanece constante en el alto grado alcanzado en este punto. Pero si en esta etapa cesa la estimulación sexual se produce un retroceso, que la lleva a regresar a la fase primera o de excitación.

Los pezones están más tensos aún y, a veces, se hunden como si desaparecieran, porque el volumen de los senos crece casi en una cuarta parte. La respiración es aún más agitada y también siguen aumentando la velocidad de los latidos cardiacos y la presión sanguínea.

En los labios mayores y menores se intensifica la coloración de la fase previa y, por lo general, cuando la mujer llega a este momento está a breves instantes —unos tres minutos— de alcanzar el orgasmo.

No en todos los casos aparece el rubor sexual, pero sí ocurre en una de cada tres mujeres. En cuanto al ritmo del corazón, puede llegar a estar entre los cien y los ciento sesenta latidos por minuto. El aumento de la tensión sanguínea es menor cuando ella se masturba que durante el coito.

El flujo vaginal adquiere una consistencia mucosa, que varía en cantidad y densidad de una mujer a otra: en algunas es sumamente abundante y en otras apenas se nota.

Cuando el tercio más bajo de la vagina se expande totalmente, lo que sucede al final de esta segunda fase, se produce lo que se conoce como la «antesala del orgasmo».

TERCERA FASE

Esta fase del ciclo es la orgásmica y se prolonga a lo largo de entre tres y quince segundos. Cubierto el clítoris completamente ya por su capucha, se acorta; al generar movimientos de vaivén, atrás y adelante, roza su sensible tejido, estimulándolo hasta provocar el clímax. Los espasmos del placer clitórico se transmiten a otras zonas erógenas, como el conducto vaginal y el ano, aunque hay mujeres que registran sensaciones en otras partes de su cuerpo, que van desde un sensual cosquilleo hasta un gratificante escalofrío.

El orgasmo femenino se expresa en una cantidad variable de contracciones de los músculos de la pelvis que están situados en torno a la vagina. Al principio esas contracciones se suceden con un ritmo de 0,8 segundos entre sí y provocan liberación de la tensión sexual. Luego hay más contracciones, unas seis aproximadamente, con mayores intervalos de tiempo y de menor fuerza. Internamente, el útero también experimenta espasmos en forma de oleadas que parten de la zona superior del cuello uterino.

CUARTA FASE

Por último, en la cuarta fase, llamada final o de resolución, la piel se humedece con una leve capa de sudor y sus manchas de rubor sexual van empalideciendo hasta que esta vuelve a adquirir su coloración habitual. Los senos y los órganos genitales recuperan su tamaño y su textura de siempre, así como el útero desciende hasta la posición normal y la vagina se desinflama. Se necesita que pasen entre cinco y diez segundos para que el clítoris recupere el estado que tiene habitualmente, aunque su tejido es en esos momentos de una extrema sensibilidad.

A la media hora, aproximadamente, todo el cuerpo retorna a su estado natural.

Las mujeres, a diferencia de los hombres, no tienen el llamado período refractario que sigue al orgasmo. Es decir, que pueden volver muy rápidamente al punto de excitación que las lleve otra vez al clímax.

No siempre las mujeres alcanzan el orgasmo. A veces, pese a sentir una gran excitación durante la fase de meseta, por diversos motivos de tipo emocional o psicológico no continúan hacia la fase orgásmica. Sin embargo, eso no significa que una relación sexual sea poco placentera. Por lo demás, como ella necesita muy poco tiempo de recuperación, puede volverse al inicio y reintentarlo.

9

ORGASMO, ¿VAGINAL O CLITÓRICO?

Para comprender cómo se produce el orgasmo femenino, hay que tener claro que, así como en ellos lo desencadena la fricción del pene, en ellas es el clítoris, cuyo tejido es similar por ser igualmente eréctil y reactivo.

Si bien durante la penetración ellas disfrutan al sentir el miembro en su vagina, si no se estimula el botón clitórico rara vez llegarán a la cima.

Aunque hay quienes opinan que hay dos tipos de clímax en las mujeres, uno vaginal y otro clitórico, en realidad es el mismo. Lo que ocurre es que si durante el coito ella o el amante excitan el clítoris con los dedos o un vibrador, o sencillamente se acoplan de manera que al mismo tiempo que el pene hace sus movi-

Hay mujeres

que se sienten mal por no tener orgasmos solo con la penetración; suponen que hay algo que «falla» en ellas. Esta idea es errónea, ya que el orgasmo siempre es clitórico, aunque también produzca disfrute vaginal porque el placer se traslada hacia esa zona, al igual que a todas las partes del cuerpo y, de manera especial, hacia las más sensibles a los estímulos.

mientos de entrada y salida vaya rozando la zona del clítoris, ello provoca el orgasmo femenino.

Porque cuando el pene frota la zona interior de la raíz clitórica, situada en torno a la parte inferior de la vagina, el pubis y la vulva se friccionan continuamente; o, si al entrar y salir, estira los labios menores, la capucha protectora del delicado glande clitórico se desliza rozándolo y produciéndole a ella sensaciones de placer que desembocan en el orgasmo.

AL MISMO TIEMPO

La sensación de disfrute orgásmico es la misma en los hombres y las mujeres. Aunque es evidente que en ocasiones él lo registra con mayor potencia y en otras es ella la que más placer siente; depende del nivel de deseo, del grado de excitación alcanzado durante la fase de los estímulos y de muchos otros factores puntuales.

Algunos amantes consideran que necesariamente deben disfrutar del clímax al mismo tiempo. Una idealización producto del cine y otras falsas «leyendas» creadas sobre la sexualidad. Esto los lleva a pensar que fracasan si no lo consiguen. Sin embargo, en la realidad es algo muy difícil de lograr, que solo sucede muy rara vez.

Lo fundamental es que ambos se sientan satisfechos, ya que tener las máximas sensaciones de placer unos segundos antes que el otro no tiene importancia. Como en tantas otras cuestiones, a veces, dejar de obsesionarse hace que un buen día ocurra naturalmente, sin proponérselo ni hacer esfuerzos o acrobacias que agotan y generan el efecto contrario: desanimar y ahuyentar el goce.

Es preferible que cada pareja aprenda a conocer sus reacciones y los tiempos propios de respuesta de cada uno para llegar a un buen entendimiento sexual. Él suele ser más rápido, por lo general, pero puede aprender a controlarse y esperar a que ella alcance el clímax para eyacular, lo que llevará naturalmente al tan deseado orgasmo simultáneo.

Lo fundamental es que ambos se sientan satisfechos, ya que tener las máximas sensaciones de placer unos segundos antes que el otro no tiene importancia.

10

ORGASMOS EN CADENA

Mientras los hombres, después de experimentar un orgasmo, entran en un período refractario en el que necesitan recuperarse para volver a empezar el ciclo e intentar una nueva relación sexual para alcanzar otro, la mujer disfruta del privilegio de poder encadenar varios orgasmos seguidos sin esperar.

Es una característica exclusiva de la sexualidad femenina. Sin embargo, no en todas las mujeres se produce este fenómeno o no todas saben descubrir cómo llegar a ello.

Algunas lo aprenden o les ocurre por primera vez cuando se masturban a solas y luego pueden «enseñarles» a sus amantes cómo estimularlas para que lo consigan juntos, porque el hombre disfruta mucho

No hay razones científicas que expliquen la condición multiorgásmica femenina; algunos expertos apuntan a que puede ser debida a que la concentración hormonal que ella alcanza durante el primer clímax se mantiene; como si después de llegar a la cúspide se situara nuevamente en la fase de meseta; de ese modo, al renovarse los estímulos, el orgasmo se repite una vez tras otra.

al ofrecerle este placer continuado, excitándola.

En el caso de las mujeres multiorgásmicas, ocurre que el clítoris tenso por la cantidad de sangre que ha afluido hacia su esponjoso tejido se va retirando de a poco y sigue estando reactivo, manteniéndose su erección, que predispone a un nuevo orgasmo inmediato.

Sin embargo, hay mujeres que después del clímax sienten una extrema sensibilidad en sus genitales y otros puntos erógenos, de modo que rechazan el solo roce de la vagina, el clítoris o los pezones y prefieren un descanso antes de ir en busca del nuevo orgasmo.

Lo fundamental, en cualquier caso, es no perseguir el orgasmo múltiple hasta la obsesión, ya que la vida sexual y el placer de ella pueden ser plenos y satisfactorios sin que necesariamente encadenen varios orgasmos durante un mismo encuentro erótico.

11

AUSENCIA DE ORGASMOS

La imposibilidad o dificultad de ciertas mujeres para tener orgasmos no es la misma ni ocurre igual en todos los casos. Hay que diferenciar entre aquellas que nunca los han experimentado, las que han llegado a tenerlos durante una época de su vida y luego no lo consiguen, o las que llegan al clímax pero únicamente cuando se masturban y no durante el coito. A esto debe sumarse que algunas mujeres no sienten ningún placer durante el encuentro sexual y hay otras que sienten deseo y se excitan, pero su goce no desemboca en el clímax.

Si nunca se ha conseguido llegar al orgasmo es preciso consultar a un ginecólogo para que realice las pruebas oportunas y averigüe si se trata de un trastorno físico, que puede ser de tipo hormonal o de otra índole, e incluso un efecto secundario de algún fármaco, y una vez descartadas estas causas hace falta indagar en el aspecto emocional, acudiendo en este caso a la consulta de un psicólogo.

Es este quien, con ayuda de la mujer o la pareja que consulta, puede saber si el problema tiene sus raíces, por ejemplo, en una educación rígida que condena el placer sexual y la ha marcado profundamente a ella, o si ciertos pudores le impiden comunicarle a su amante cómo desea ser estimulada para alcanzar el orgasmo.

En cuanto a las mujeres a las que les sucede puntualmente y han tenido orgasmos antes o los tienen cuando se autoerotizan, es evidente que se trata de un desencuentro con la pareja, que no sabe cómo estimularlas: este tipo de conflicto se supera comunicándose, guiándolo verbalmente o a través del lenguaje gestual, hasta que él aprenda a llevarla al placer supremo; es decir, con confianza, intimidad y tiempo.

Lo mismo, si ella pasa temporadas apáticas y el único motivo es el cansancio físi-

co, la tensión nerviosa por razones profe-
sionales o que los amantes hayan caído en
la rutina. Nuevamente esto requiere diálogo y buscar la forma de renovar la pasión
para que vuelva la plenitud sexual que
provoca el orgasmo imparable y liberador.

12

ÉL Y SUS GENITALES

Generalmente, los hombres perciben con naturalidad las partes visibles de su aparato genital, ya que durante siglos el libre ejercicio de la sexualidad ha sido considerado como un comportamiento propio y exclusivo de lo masculino.

Incluso hoy en día, cuando la igualdad entre los sexos es algo cada vez más aceptado en nuestra sociedad, aún siguen vigentes algunos valores que les otorgan más privilegios a ellos que a las mujeres.

NO SIEMPRE Y NO TODOS

Sin embargo, más allá de las ideas pre-juiciosas o del pensamiento generalizado, indudablemente hay singularidades y cada hombre tiene distintas vivencias en relación con su pene o, lo que es lo mismo, con el órgano más evidente de sus genitales exteriores. De modo que es posible hallar un arco muy amplio de percepciones que va desde la vergüenza por la forma que tiene hasta la jactancia por su tamaño, que se suele asociar a sus posibilidades de dar y ofrecer placer sexual. Esto último es, en la mayoría de los casos, consecuencia del desconocimiento o de un conocimiento muy superficial de la propia sexualidad y, por supuesto, también de la femenina, ya que forma y tamaño no influyen en ello.

LO QUE NO VEMOS

La sensible bolsa de piel visible entre los muslos de los hombres, llamada escroto, contiene los testículos o gónadas masculinas, que no están a la vista. La palabra gónada procede del griego *gone*, que significa literalmente semilla.

Los testículos son equiparables en sus funciones a los ovarios; es decir, tienen un doble cometido: por un lado, producir espermatozoides, que son las células reproductivas, también denominadas germinales, contenidas en el semen, que fecundan los óvulos para generar una nueva vida; y, por otro, activan la función sexual produciendo y segregando hormonas, de las cuales la testosterona, elaborada por las llamadas células de Leydig, es la más importante.

Los niveles de testosterona en la sangre suelen mantenerse constantes por la acción reguladora de un conjunto de varias glándulas, aunque el cansancio, el estrés y otras circunstancias pueden producir variaciones leves. Entre dichas glándulas podemos mencionar el hipotálamo o la pituitaria; esta última también influye en la actividad de los ovarios.

¿CÓMO SON?

De forma redondeada, el tamaño de los testículos es variable de un hombre a otro y va desde los dos centímetros y medio hasta los cuatro y medio de longitud, siendo su ancho de aproximadamente la

Cuando los varones llegan a la pubertad, entre otros cambios en su cuerpo y rostro se producen dos que afectan a esta zona. El escroto se cubre de vello, más o menos abundante según los casos, y los testículos comienzan a producir hormonas y espermatozoides, actividades que se mantendrán a lo largo de toda la vida.

mitad. Su superficie es lisa y al tacto se aprecia dureza, así como una condición móvil, como si se desplazaran dentro del escroto. La presión y los golpes los afectan intensamente por su gran sensibilidad, así como otros factores que provocan subidas y bajadas testiculares y, en ciertos casos, dilatación o encogimiento. Esto puede suceder debido a estímulos ambientales, como por ejemplo el frío, que los empequeñece, o ser de índole psicológica, porque este fenómeno también puede ser provocado por el miedo o la ansiedad; también de tipo sexual, ya que el calor del deseo y la excitación los agranda. Sin embargo, luego vuelven naturalmente a su sitio. Es corriente que el testículo izquierdo esté situado algo más abajo que el derecho.

En su interior hallamos una gran cantidad de pequeños tubos, conocidos como túbulos seminíferos, de trayectoria sinuosa, por donde se desplaza el esperma que contiene los espermatozoides, y que se conectan con otros tubos, de mayor diámetro, para reunirse todos en el epidídimo, un órgano duplicado que se encuentra por encima de cada testículo.

UN VIAJE CON VARIAS ESTACIONES

En los epidídimos es posible distinguir cabeza, cuerpo y cola. Cada uno tiene aproximadamente cinco centímetros de longitud por doce milímetros de ancho, porque están enrollados; si se desplegaran, medirían varios metros. Se sitúan en la parte posterior de los testículos, entre la vejiga y el recto, y son verdaderos almacenes de semen.

Cuando el esperma llega a este punto no ha madurado aún, sino que irá haciéndolo a lo largo de varias semanas, mientras sigue viaje hacia los conductos deferentes, que son finos cilindros que se hallan en la parte interna, pero al borde de la piel del escroto.

Por detrás de la vejiga, los conductos deferentes están justo sobre unas glándulas pequeñas llamadas vesículas seminales. Al converger, ambos órganos se convierten en los conductos eyaculatorios. Estos

Al producirse la eyaculación, el semen pasa por el conducto uretral, que se extiende a lo largo del interior del pene, y es expulsado al exterior a través del meato urinario, al igual que la orina.

segregan un fluido que, entre otras sustancias, contiene fructuosa y contribuye a la movilidad del esperma, factor importante para la acción reproductiva. En la zona inferior de la vejiga dichos conductos se ensanchan, convirtiéndose en las ampollas seminales; luego se estrechan nuevamente y se unen al conducto prostático, formando el conducto eyaculatorio que, atravesando la próstata, se abre en la uretra. Al producirse la eyaculación, el semen pasa por el conducto uretral, que se extiende a lo largo del interior del pene, y es expulsado al exterior a través del meato urinario, al igual que la orina.

ELLOS, EN EXCLUSIVA

Solo los hombres tienen en su organismo la glándula prostática o, sencillamente, la próstata. Su forma recuerda a una nuez o una castaña, al igual que su tamaño, que es aproximadamente de entre dos y cuatro centímetros de longitud y ancho y un diámetro que alcanza los dos y medio.

Se compone de fibras musculares y tejido glandular que segrega líquido prostático. Este fluido, de consistencia lechosa, es el que le da al semen su textura y olor característicos. Asimismo, es alcalino, lo que sirve para neutralizar el medio ácido de la vagina y que los espermatozoides prolonguen su vida, dándoles más tiempo para fecundar los óvulos.

Aunque la próstata está en continua actividad en los hombres sexualmente maduros, durante la excitación sexual sus secreciones aumentan y van hacia la uretra, donde se combinan con el esperma y el fluido procedente de las vesículas seminales.

Si un hombre se ha sometido a una vasectomía, lo que impide al esperma llegar al conducto uretral, igualmente se sigue produciendo tanto el fluido de la próstata como el de las vesículas seminales, de manera que eyacula normalmente; lo único que ocurre es que su semen no fertiliza, porque no contiene espermatozoides.

Desde la adolescencia y durante toda la vida, esta glándula «de la masculinidad»,

La próstata no se palpa desde el exterior, pero penetrando suavemente con un dedo bien lubricado a través del recto se accede a ella. Haciendo una suave presión y masajeando circularmente la cara posterior del conducto rectal se estará acariciando el denominado punto P. El goce que sienten los hombres con este estímulo es tan intenso que incluso a algunos les provoca un orgasmo.

como se la suele llamar, crece alimentada por la producción de hormonas. Es por esa razón que son muy pocos los hombres adultos en los que sigue siendo del mismo tamaño que en la juventud.

Lo habitual es que a partir de los cuarenta años comience a agrandarse. En muchos casos solo se trata de un aumento de su propio tejido, lo que se conoce como hiperplasia benigna, pero en otros, dicho tejido puede contener células malignas o degenerar en un cáncer de próstata.

Por lo general, el crecimiento de la próstata produce dificultades para contener las ganas de orinar y otras molestias menores. Sin embargo, aunque no se experimente ningún trastorno, es conveniente acudir a la consulta de un urólogo cuando el hombre alcanza la edad antes mencionada. La razón es que la prevención, cuando se trata de la salud sexual y de seguir manteniendo una vida erótica activa y placentera, es fundamental.

Muchos hombres retrasan la visita al urólogo por prejuicios, vergüenza o, sencillamente, miedo. Es preciso saber que, incluso en los casos en que es necesario practicar cirugía prostática, la mayoría de los que han sido intervenidos siguen luego manteniendo relaciones sexuales con normalidad.

GLÁNDULAS CON NOMBRE PROPIO

El anatomista y cirujano inglés William Cowper (1666-1709) fue quien describió por primera vez estas glándulas y por eso llevan su nombre. Son dos, están situadas bajo la próstata y también se las llama glándulas bulbouretrales, en este caso por su forma y porque vuelcan sus secreciones en la uretra.

El tamaño de cada una de las glándulas bulbouretrales o de Cowper no es mayor que el de un guisante. Su actividad es generada por la excitación sexual y al alcanzar esta su punto más alto, previo al orgasmo, es cuando vierten una o dos gotas de un líquido claro, que puede verse en la punta del pene. Estas secreciones tienen la función de limpiar y lubricar la uretra, preparándola para la inmediata

Habitualmente se asocian las poluciones nocturnas a la pubertad porque es cuando comienzan a aparecer. No obstante, los hombres eyaculan dormidos a lo largo de toda la vida, ya sea cuando tienen sueños eróticos o por otros motivos.

eyaculación. Sin embargo, la cantidad de fluido que producen no es suficiente para lubricar también la vagina durante el coito.

Con frecuencia, el fluido de estas glándulas contiene esperma; de modo que, si se tienen relaciones sexuales sin utilizar anticonceptivos, sino retirando el pene de la vagina antes de eyacular, igualmente puede producirse el embarazo.

POR FUERA Y POR DENTRO

Pene es un vocablo procedente del latín *penis*, que significa «cola»; también es llamado miembro viril o falo, palabra de origen griego. Pero todos estos términos sirven igualmente para designar el órgano masculino más sensible a los estímulos. A diferencia de los genitales femeninos, pertenece tanto al aparato genital como al urinario

Su apariencia externa es simple: del pubis nace el tronco y acaba en el glande, cubierto por el prepucio y, entre ambos, la corona de piel que los separa. Sin embargo, su estructura interior es muy compleja, ya que sus funciones también lo son.

El pene no contiene huesos ni músculos, sino tres cilindros: los dos mayores, o cuerpos cavernosos, están situados uno junto al otro en la parte superior. Como su tejido es eréctil, durante la excitación sexual se llenan de sangre y es entonces cuando el falo adquiere dureza y aumenta de tamaño. El tercer cilindro es el cuerpo esponjoso, que se extiende por la parte inferior de la superficie y por donde pasa la uretra, que atraviesan el semen y el líquido urinario, dirigiéndose ambos hacia el orificio que hay en la punta, el meato uretral. Este cuerpo esponjoso, asimismo, se agranda y forma el glande, comúnmente llamado cabeza del pene.

EXTREMA SENSIBILIDAD

La forma del glande es redondeada y su piel es sumamente sensible. Precisamente para proteger su vulnerable tejido, está recubierto por el prepucio, que es un pliegue de piel móvil; es decir, que

La base del pene se llama raíz y se prolonga hacia el interior de la pelvis. Unas estructuras que se llaman cruras o crurales lo sujetan a los huesos pélvicos. Pero el tronco exterior del pene es móvil, por lo que puede oscilar con total libertad en estado de reposo o durante la erección.

puede ser retirada para descubrir el glande, lo que ocurre naturalmente durante la erección, o puede este estar expuesto de manera permanente, cuando al hombre se le ha practicado la sencilla intervención quirúrgica denominada circuncisión. Bajo el prepucio se acumula una sustancia densa y de intenso olor, el esmegma, que se adhiere al glande. Pero recogiendo el prepucio hacia atrás e higienizando bien la zona se elimina por completo.

El glande es tan delicado y sensitivo, que los roces o frotamientos demasiado fuertes pueden causar irritación e incluso dolor en la zona; y, por eso, ciertos hombres prefieren la estimulación en el tronco del miembro.

El punto de la zona inferior del pene donde se sujeta el prepucio es un fino ligamento llamado frenillo, que es la conexión entre el glande y el tronco del pene y, desde el punto de vista del goce, es uno de los puntos más sensitivos del universo erógeno masculino.

VARIEDAD DE FORMAS

Todo el pene es zona álgida de placer: excitarla con las manos o la lengua desde la raíz, recorriendo su tronco enteramente, mimar de manera especial y suave el glande y juguetear retirando el prepucio, así como dar suaves golpecitos con la yema de un dedo o la punta de la lengua en el frenillo, son estímulos que provocan en él reacciones indeciblemente sensuales. Eso se expresa en una erección cada vez más intensa, lo que denota la fuerza del deseo y el disfrute sexual. Lo mismo ocurre cuando, durante el coito, las paredes de la vagina lo encierran en su cálida humedad y el pene las roza, empujando suave o rudamente, hasta que alcanza el clímax.

Muchos hombres sienten preocupación por cómo es su miembro y en ese caso es conveniente saber y aceptar que, tanto en estado de reposo o flacidez como cuando se manifiesta una erección, sus formas son muy variadas y no hay un pene igual a otro, tal como ocurre con otras partes del cuerpo. Los hay cortos o largos; anchos o delgados, e incluso rectos y curvos.

Al crecer durante el estado de deseo o la excitación, por lo general, el pene se tensa y eleva de manera vertical y paralela al abdomen. Pero hay algunos, en cambio, que se sitúan perpendicularmente con respecto al vientre y, por último, en los penes de forma curva, que es tan frecuente como normal, la curvatura se acentúa, pudiendo tender hacia arriba o hacia los lados; usualmente, en estos casos, se lo denomina «pene en forma de sable».

En cuanto a las dudas que puedan surgir acerca de si los penes curvos pueden ser un problema durante las relaciones eróticas, lo que en ocasiones genera inseguridad en ellos, es importante saber que se trata de una concepción errónea. En realidad, ocurre todo lo contrario: en primer lugar, a ninguna mujer le preocupa si su compañero de juegos sexuales tiene el pene curvo o recto; por lo demás, la curvatura permite ciertos estímulos excitantes en las paredes de la vagina durante la penetración y el coito provocando, si cabe, aún más placer sexual.

¿IMPORTA EL TAMAÑO?

Una de las grandes fantasías en torno a la virilidad es que «los penes grandes son mejores». Esto es una fábula, porque la idea de que un miembro grande es la clave para gozar es errónea, una idea que se ha mantenido durante siglos y que algunos aún sostienen pero que, a medida que existe mayor conocimiento y libertad, poco a poco va desapareciendo para ceder paso a nociones más realistas y veraces.

Los penes considerados pequeños son los que miden, en estado de erección, menos de once centímetros; la escala de entre trece y diecisiete es la más corriente, y a partir de los dieciocho centímetros de longitud son grandes.

Para desmontar el mito y evitar obsesionarse con conceptos falsos que solo conducen a mermar la capacidad de goce, empequeñeciendo el universo sensual

Si el hombre tiene un pene tan grande que a ella le produce dolor durante el coito, una manera de resolverlo es elegir una postura adecuada que resulte más placentera. En el caso de que el miembro sea demasiado largo, existen anillos peneanos para acortarlos y evitar que la penetración llegue hasta lo más hondo del conducto vaginal.

propio y de la pareja, hemos de decir que en realidad esos penes suelen causar dolor durante el coito; de manera que el hombre deberá evitar que la penetración sea profunda.

JUEGOS «A MEDIDA»

En los casos de penes pequeños, se trata también de hallar la postura adecuada y que las embestidas durante el coito sean más profundas y suaves, sin brusquedad ni demasiada amplitud, para que no se deslicen fuera de la vagina. Una postura recomendada es utilizar un cojín y colocarlo bajo las caderas femeninas para elevar la pelvis o que ella contraiga el músculo PC para abrazar el pene más estrechamente. Esto, además, les proporciona sensaciones muy excitantes a ambos.

Lo cierto es que un buen amante no se define por la forma o el tamaño de su miembro, sino por su capacidad de estimular los puntos erógenos de la mujer: acariciar o lamer el clítoris, fundamentalmente; mimar sabiamente los pezones y los senos y excitar otras zonas que a ellas las erotizan sobremanera durante los preliminares al coito.

Por último, los que se preocupan por el tamaño de su falo deben conocer esta interesante paradoja: puesto que el tamaño del pene se verifica sobre todo en erección, ocurre que muchos de los que son muy grandes en estado de reposo suelen crecer muy poco al estar erectos. Por el contrario, penes que estando flácidos son pequeños, aumentan mucho su tamaño al ser estimulados y entrar en erección.

ESA ZONA TAN ESPECIAL

Por fuera, la bolsa de piel que contiene los testículos es un área de intensa sensitividad erótica. Ellos disfrutan enormemente con las caricias hechas en ese delicado tejido, muy poblado por vasos sanguíneos y terminales nerviosas, y, si se estimula durante la penetración, las eyaculaciones y el goce orgásmico aumentan su intensidad.

Es importante evitar la brusquedad y las presiones que puedan molestar, los roces con las uñas o la piel áspera de las manos. La lengua húmeda recorriendo el escroto, hacia arriba y hacia abajo, introducir toda la bolsa en la boca con suavidad o apretar firme y voluptuosamente los labios contra su fina piel, generan una reacción sexual muy fuerte en los hombres.

Hay quienes prefieren que las palmas tibias vayan trazando círculos, rocen la piel, dibujen itinerarios sensuales con uno o varios dedos, y otros, que la caricia se deslice con las manos untadas en una sustancia lubricante; lo que resulta estremecedor y eleva el deseo y la excitación hasta el límite.

OTROS PUNTOS DE DISFRUTE

El perineo es una superficie romboidal que se divide en dos triángulos: uno anterior o triángulo urogenital y otro posterior, o triángulo anorrectal; de modo que se extiende desde el orificio urogenital hasta el anillo exterior del ano.

Lo conforman ocho músculos, distribuidos en la zona superficial, media y profunda, que, además, está densamente atravesada por vasos sanguíneos y terminaciones nerviosas de sensibilidad muy acusada.

Las suaves caricias o la humedad de la lengua recorriendo el perineo intensifican la pulsión sexual y dos son los puntos álgidos de este itinerario que ofrecen las máximas percepciones de goce.

La sensitiva zona del meato uretral, en la punta del glande, a la que hay que mimar con la lengua con sumo cuidado y lentitud para no crear molestias, y, en el lado opuesto, la zona del anillo anal, donde los hombres gozan muchísimo de los estímulos, aunque algunos sientan reparo en aceptar ser estimulados allí. Sin embargo, quienes se atreven a experimentarlo saben que ese sitio preciso encierra un intenso placer y no solo en el exterior del orificio del ano, sino que se prolonga hacia el interior del conducto. Aventurarse a traspasar esa barrera es entrar en un mundo que suma más riqueza a la sexualidad masculina.

Al masajear el perineo se estimula a la vez desde afuera también a la próstata. En cuanto al contacto con los dedos o la lengua en la zona anal exterior, este debe ser cuidadoso, evitando arañar o morder y, en caso de penetración, los dedos deben embeberse en una sustancia lubricante adecuada, avanzando poco a poco con precaución y delicadeza.

13

LA EYACULACIÓN

La descarga de esperma o eyaculación se produce durante la fase de orgasmo y coincide con el punto máximo de satisfacción sexual masculina. Sin embargo, si se goza de varios coitos en un mismo encuentro la cantidad de semen que se eyacula disminuye y hasta puede haber sensación orgásmica sin eyacular, lo cual es completamente normal.

El clímax es percibido físicamente como varios movimientos espasmódicos que se generan en la musculatura genital interna y están íntimamente conectados con la expulsión del fluido espermático hacia el exterior a través de la uretra.

Algunos hombres son capaces de tener control sobre su eyaculación, lo que aprenden siguiendo diversas técnicas es-

No siempre es precisa una erección para eyacular; son procesos que no necesariamente están interrelacionados. La erección depende de la afluencia sanguínea al tejido esponjoso del pene, que lo dilata y lo endurece; mientras que el semen se genera en conductos interiores y, sobre todo, en los testículos, que, al ser excitados, igualmente inducen a la expulsión eyaculatoria.

pecialmente ideadas para ello, muchas de las cuales tienen un origen ancestral procedente de culturas orientales como la hindú o la china, conocidas como tántricas. Pero es preciso tener un alto nivel de concentración y que transcurra un tiempo que para unos será más y para otros menos prolongado hasta dominar este arte con maestría.

Mientras se produce esta descarga de la naturaleza, propia del funcionamiento biológico, la sensación orgásmica, el placer percibido y la imagen mental son profundamente gozosos, aunque, por supuesto, distintos en cada caso: no todos los hombres sienten lo mismo ni con igual intensidad.

Después de eyacular, hay un período de relajación física general que es más notable en los órganos genitales: el pene, que estuvo firme desde el momento de la excitación inicial hasta el clímax, a medida que la sangre fluye nuevamente desde sus cavidades cavernosas internas al resto del organismo vuelve a su habitual estado de reposo, por lo que pierde firmeza. Lo mismo ocurre con los testículos, que descienden y recuperan su tamaño y posición naturales.

En tales momentos ellos se sienten amodorrados e incluso algunos necesitan dormir; para volver a tener respuesta sexual ante los estímulos eróticos necesitan que transcurra un período de tiempo que es variable de uno a otro hombre.

14

EL SEMEN

La palabra semen o esperma significa «semilla», y es el fluido viscoso y blanquecino que expulsa el pene al eyacular. Contiene espermatozoides y plasma seminal y su producción se inicia en la pubertad; adquiere la composición que tendrá en la edad adulta después de los doce o catorce años en la mayoría de los varones. Aumenta en la juventud, aunque varía en cada persona, llega a su máximo nivel y merma a medida que se envejece, aunque se genera toda la vida.

El organismo va eliminando semen almacenado cada tanto: si no a través del coito o la masturbación, en forma de poluciones nocturnas.

El olor seminal es singular y distinto en cada hombre; depende de razones de índole emocional, la ingestión de determinados fármacos o la dieta, entre otros. Hay personas para las cuales este olor es excitante, hallándolo dulzón y con reminiscencias frutales, y a otras no les parece grato.

Durante una eyaculación, menos del 10 por ciento del esperma son espermatozoides y más del 90 por ciento es líquido seminal. Para fecundar un óvulo debe contener, por lo menos, 20 millones de espermatozoides por mililitro; en apropiadas condiciones, estos viven fuera del organismo masculino varios días.

El semen contiene fluidos procedentes de la vesícula seminal, ricos en fructosa, aminoácidos y minerales, además de hormonas. También la próstata aporta el ácido cítrico, calcio, sodio, zinc y potasio, entre otras sustancias. El último elemento lo segregan las glándulas de Cowper y Littre y las bulbouretrales, que incorporan al semen una proteína espesa, clara y lubricante conocida como «moco».

15

LOS ESPERMATOZOIDES

Las células reproductoras del hombre se denominan espermatozoides o gametos masculinos. Están en el semen y se producen unos mil por segundo en los testículos. Su función es fertilizar óvulos.

Si se observa en un laboratorio una pequeña porción de esperma se ve en cada espermatozoide cabeza, cuerpo y cola, también llamada flagelo, así como su continua movilidad.

La cabeza es la que fecunda y se inserta en el óvulo; juntos transmiten a sus hijos la carga genética de ambos progenitores. El cuerpo conecta la cabeza con la cola, que los dota de movimiento para que recorran un camino ascendente hacia las trompas de Falopio, donde se alojan los óvulos, pasando por el cuello del úte-

A partir de la pubertad y hasta la vejez, los testículos producen millones de espermatozoides que, junto al líquido seminal, forman el esperma que se elimina al eyacular. La máxima cantidad de espermatozoides que se almacenan es de unos 500 millones, que maduran a lo largo de varias semanas. En cada eyaculación se expulsan con el semen entre 200 y 300 millones y nunca se agotan.

ro. Una vez que han accedido a las trompas, su avance es de una velocidad aproximada de entre uno y dos centímetros por hora.

Son muchos los espermatozoides que mueren durante el recorrido, así como otros se dirigen erróneamente a la trompa en la que, en ese ciclo menstrual, no se ha producido óvulo.

Llegan también muchos, ya que el semen que penetra en la vagina durante el coito contiene millones de espermatozoides, aunque solo uno es el que fecunda. El contacto entre las células reproductoras del hombre y la mujer y la consiguiente fertilización se produce en el primer tercio de las trompas de Falopio: la más próxima al ovario.

Un gameto masculino tarda de diez minutos a tres días en llegar hasta el femenino y fecundarlo; al fundirse generan el cigoto, cuyas células se multiplican formando el embrión, que se desarrollará durante el embarazo.

16

LA «REVOLUCIÓN» HORMONAL

Quien hasta el día anterior era un niño, de pronto se mira al espejo y observa vello en su rostro, pubis y axilas; sus músculos han ganado masa y longitud; su voz está cambiando; el pene y los testículos le han crecido y, al menor contacto, nota una gran excitación.

Es la revolución de la pubertad, protagonizada por los andrógenos u hormonas masculinas, fundamentalmente la testosterona, pero también la androsterona y la androstendiona, que segregan varias glándulas: sobre todo, los testículos.

Según estudios recientes sobre personas adultas, se sabe que ellos suelen tener menos tejido adiposo que las mujeres porque los andrógenos inhiben el almacenamiento de grasas. Asimismo, sus niveles

Las hormonas pueden ser las que produce el cuerpo naturalmente o las sintetizadas en laboratorios. Ambos tipos se utilizan en tratamientos médicos para curar algunos trastornos. Asimismo, se emplean como suplementos compensatorios cuando una persona tiene carencia o escasez y es preciso regular su nivel hormonal hasta que recupere la normalidad.

en la sangre pueden determinar, por ejemplo, la agresividad e incluso la intensidad de la libido.

Pero esto último, por sí solo, no gradúa el deseo o el placer sexual porque estos no empiezan y terminan en el funcionamiento orgánico, sino que, además, son decisivas la mente, la empatía y otros factores exclusivos de cada individuo.

17

ASÍ REACCIONA EL HOMBRE

Los motivos por los que los hombres se sienten sexualmente estimulados son múltiples; la mente masculina origina, igual que la de la mujer, reacciones similares que demuestran su pasión.

El chispazo que enciende la libido no es el mismo para todos, así como las formas de activarla y satisfacerla tampoco son iguales en todos los hombres ni se puede generalizar sobre sus características, ya que existen innumerables y muy diversos factores que influyen en la atracción sexual; desde un modelo estético hasta empatías de carácter, propias y diferentes en cada persona.

FASE DE EXCITACIÓN

Cuando un estímulo erótico ya ha despertado la libido en los hombres, entran en la fase de excitación, que es la primera de su ciclo de respuesta y en la que aparecen la vasocongestión y la miotonía. La primera de estas reacciones hace que su miembro comience a erguirse poco a poco al acudir la sangre y llenar las cavidades esponjosas del tejido interior del pene, y así comienza la erección; la segunda provoca contracciones musculares en diversas zonas del cuerpo, incluyendo el momento final del coito, cuando se producen los espasmos del clímax.

En los jóvenes, la vasocongestión se inicia entre tres y ocho segundos después de estar en esta fase. En hombres mayores, la erección es más lenta y gradual. Otras reacciones físicas propias de estos momentos son que la piel del escroto se engrosa y la bolsa testicular no cuelga tanto como en estado normal, que los testículos aumentan su tamaño y que ambos órganos se elevan, acercándose más al cuerpo.

En los jóvenes, la vasocongestión se inicia entre tres y ocho segundos después de estar en esta fase. En hombres mayores, la erección es más lenta y gradual.

FASE DE MESETA

La segunda fase de respuesta sexual o de meseta, como su nombre indica, es un período en el que el nivel de excitación es constante y parejo; sin embargo, es un estado avanzado de excitación y previo al orgasmo. El glande se vuelve de color púrpura, precisamente porque la vasocongestión aumenta, los testículos suben aún más, preparándose para la eyaculación que se aproxima, llegando a aumentar hasta una vez y media más de su habitual tamaño. También ocurre que las glándulas de Cowper segregan unas gotitas de fluido seminal para lubricar la punta del pene.

En un caso de cada cuatro aparecen en la piel masculina de distintas zonas del cuerpo unas manchas rojizas, a veces similares a una erupción.

La miotonía hace que se pierda el control sobre los gestos de la cara, se contraigan los pies y las manos, acelerándose la respiración, que en ocasiones se convierte en un sonoro jadeo, y la presión

Algunos hombres utilizan como recurso el tratar de distraerse deliberadamente, pensando en algo distinto y no erótico durante las relaciones sexuales, cuando se sienten tan excitados que se notan a punto de eyacular; lo hacen para prolongar su disfrute y esperar a que su amante esté más estimulada para la penetración.

sanguínea y el ritmo cardíaco, que ya se habían acelerado durante la primera fase, en esta se disparan.

El punto máximo de erección se puede mantener durante mucho tiempo si el hombre sigue siendo estimulado y si su mente sigue concentrada en lo que lo excita; pero si algo lo distrae, puede disminuir o perderse incluso, aunque después se recupere.

FASE ORGÁSMICA

A continuación, él pasa por la fase orgásmica, que puede subdividirse en dos: al inicio, se generan contracciones en los conductos deferentes, las vesículas seminales, el conducto eyaculatorio y la próstata, para que el semen se almacene en el bulbo de la uretra, situado en la base del pene. El esfínter interno de la vejiga también se contrae para evitar la eyaculación retrógrada, que, como su nombre indica, es eyacular hacia adentro; y, a la vez, la vejiga se cierra, lo que impide que la orina y el semen se mezclen.

Cuando el fluido seminal está ya en el bulbo uretral aparece una sensación que dura entre dos y tres segundos y que indica que la eyaculación es inminente.

En la segunda parte de este proceso, el esfínter externo de la vejiga se relaja y deja pasar el esperma. Al contraerse los músculos que rodean la uretra y la base del pene, la eyaculación es impulsada con fuerza hacia el exterior y el placer se percibe durante más tiempo, en función de la cantidad de contracciones y de la cantidad de líquido seminal que se expulse. Los primeros espasmos son más intensos y se producen cinco contracciones, cada cuatro segundos, aproximadamente. A estas les siguen entre dos y cuatro, pero más espaciadas, aunque esto es variable en cada caso.

LA FASE FINAL

Después del orgasmo él entra en la llamada fase de resolución, durante la cual el cuerpo vuelve a su estado de normalidad, perdiéndose la erección en dos etapas: en

Los hombres jóvenes, en ocasiones, mantienen el pene en erección durante varios segundos después de haber eyaculado, aunque esto no es muy frecuente; puede ocurrirles también a hombres mayores y se trata de una característica natural que no es posible adquirir con ejercicios o práctica alguna.

el primer minuto, al vaciarse de sangre los tejidos de los genitales, se pierde la mitad de la tensión del pene; la segunda se prolonga a lo largo de varios minutos: los testículos y el escroto recuperan su tamaño normal y la bolsa escrotal adquiere su habitual aspecto colgante y de piel fina y arrugada.

A diferencia de las mujeres, los hombres pasan de la fase de resolución al período refractario. Durante el mismo están profundamente relajados, todos los músculos que soportaron una gran contracción están totalmente laxos, en ocasiones los embarga una sensación de somnolencia o se duermen. Para recuperarse y volver a tener otro orgasmo o eyaculación, según diversos factores, algunos hombres adultos necesitan una o varias horas, y otros, un día.

EL IMPORTANTE MÚSCULO PC

El músculo pubocoxígeo, más conocido por sus iniciales, PC, se ubica a lo largo de la base de la columna vertebral o coxis y llega hasta la base del pene, conectándose al hueso púbico. Para saber con exactitud dónde está ubicado, basta con recordar que es aquel que se suele contraer para interrumpir el flujo de la orina o el que se contrae involuntariamente cuando se tienen espasmos musculares, durante el orgasmo. Los adolescentes juegan muchas veces a contraerlo durante la erección para ver cómo provoca en el pene una respuesta de leves movimientos de ascenso y descenso.

Ejercitar el músculo PC no solo contribuye a fortalecer las erecciones, sino que también incrementa las sensaciones durante el orgasmo. Con la edad, este músculo se debilita causando los primeros problemas de erección, lo que se acrecienta a medida que también lo hace la edad. Pero si se ejercita habitualmente, difícilmente se producirá la disfunción eréctil ni se tendrán problemas de impotencia, incluso a edades muy avanzadas.

Dos son los ejercicios para el músculo PC: uno sirve solo para activar la circulación sanguínea y otro, practicado durante

Ejercitar el músculo PC no solo contribuye a fortalecer las erecciones, sino que también incrementa las sensaciones durante el orgasmo.

el acto sexual, puede retardar la eyaculación hasta el momento deseado. Fortalecerlo es tan fácil como realizar el acto de contraerlo y relajarlo durante unos minutos varias veces a diario.

En cambio, durante el coito, se trata de contraer el PC de manera controlada, manteniendo el mismo grado de excitación, y de revertir un inminente proceso eyaculatorio. Una vez que se aprende a hacer estos dos tipos de ejercicios, ambos son muy eficaces y sencillos de practicar.

MOMENTOS ESPECIALES

El sueño se divide en diversas etapas. Una de ellas es la llamada REM o de movimientos oculares rápidos, y durante la misma hay una gran actividad cerebral y se producen los sueños. Un rasgo que caracteriza a esta fase es que durante la misma suele producirse una erección. De tal manera que si él se despierta estando en fase REM, tendrá el pene erecto, a menos que padezca algún trastorno físico; es decir, que despertarse con una erección es un fenómeno absolutamente natural. Incluso tener erecciones durante el sueño les sirve a los médicos para descartar que un hombre sufra de disfunción eréctil.

Aunque aparecen y se suelen asociar únicamente con la edad adolescente, lo cierto es que las poluciones nocturnas se mantienen en algunos hombres durante toda la vida. Satisfacer el deseo erótico es una búsqueda constante, ya sea consciente o inconsciente; se trata de algo instintivo en el ser humano.

Durante el sueño, hay unas cinco erecciones y en ocasiones ello deriva en eyaculaciones o, lo que es lo mismo, en poluciones nocturnas.

Aunque aparecen y se suelen asociar únicamente con la edad adolescente, lo cierto es que las poluciones nocturnas se mantienen en algunos hombres durante toda la vida.

18
EYACULACIÓN PREMATURA

Uno de los trastornos habituales de la sexualidad masculina es la carencia de control sobre la descarga de semen, que se conoce como eyaculación precoz. No es un problema grave y las estadísticas indican que afecta a un 25 por ciento de los hombres.

Los motivos que la generan suelen ser de origen fisiológico u hormonal, aunque también puede producirse como efecto secundario al tomar ciertos medicamentos e incluso, como ocurre en muchos casos, de orden psicológico.

También, circunstancialmente, cuando ha pasado mucho tiempo desde el último contacto sexual o debido a la ansiedad de la «primera vez» en los adolescentes y jóvenes.

Cuando se da varias veces sucesivamente, o con cierta frecuencia, lo mejor es consultar a un médico, que determinará las causas y aconsejará el tratamiento adecuado. Descartado que no exista ningún problema físico a tratar, es posible resolver el trastorno y aprender a controlar la eyaculación. En primer lugar, hay que saber reconocer el punto en que la descarga seminal es inminente y, en ese momento, realizar los ejercicios de Kegel.

Estos son muy sencillos y consisten en ejercitar el músculo pubocoxígeo para fortalecerlo, contrayéndolo y relajándolo varias veces al día, en sesiones de varios minutos cada una. Por lo general, de este modo la mayoría de los hombres consiguen resolver esta disfunción.

Otras formas de retrasar la eyaculación son que él o su amante presionen el escroto o utilizar el recurso de pensar en otra cosa para distraerse, haciendo descender el grado de excitación de la antesala del orgasmo y regresando hasta una fase anterior.

CUANDO LA RESPONSABLE ES LA MENTE

Una vez descartadas las causas físicas hay que buscar en el área psicológica. Los factores de este origen abarcan un espectro muy amplio: miedo a ser sorprendidos durante el acto sexual; ansiedad por temor a no gustar o no ser hábil para complacer a la amante; estrés debido a causas ajenas a la sexualidad, entre otros.

Además, cuando ha ocurrido una vez, crece la inseguridad y la idea de que vuelva a suceder incide negativamente, aumentando la posibilidad de repetirse la eyaculación prematura. Por eso, una de las formas de evitarla es gozar de los juegos preliminares, de la excitación que se va produciendo, paso a paso, en uno mismo y en la pareja, sin pensar en lo que pueda ocurrir.

Aunque no lo parezca, olvidar la cuestión suele ser efectivo y el orgasmo se va retrasando de manera inconsciente. En cualquier caso, cada hombre y

La eyaculación precoz no está relacionada con la intensidad del deseo ni la firmeza de la erección; esta puede ser muy intensa, pero en el momento de la penetración, o una vez dentro de la vagina, se expulsa rápidamente el esperma, sin poder esperar a que la amante alcance su orgasmo, con la consiguiente frustración de ambos y, en el caso de él, un sentimiento de baja autoestima.

cada pareja deben encontrar su propio camino para superar este trastorno de poca importancia y alcanzar la plenitud erótica.

19

ERECCIÓN IRREGULAR

Lo que popularmente se conoce como «gatillazo» es algo que les sucede a todos los hombres, prácticamente, alguna vez, ya sea en la juventud o en cualquier momento de su vida.

Concretamente se trata de que, aunque se haya conseguido una erección, por más intensa que sea, cuando está a punto de producirse la penetración o incluso durante el coito, aunque es menos frecuente, esta se pierde volviendo el pene a su estado de reposo y flacidez, como cuando no hay excitación.

Las causas de que esto ocurra son múltiples. Y, aunque en un principio conviene descartar que haya un trastorno fisiológico, consultando a un médico, con frecuencia el origen de la erección irregular es de índole psicológica.

Pueden generarla distintos motivos puntuales como el estrés, las preocupaciones cotidianas, el miedo a fallar o a no actuar como la pareja sexual espera, pero también a veces la causa es de otro tipo, como haber bebido en exceso o estar tomando ciertos fármacos que generan este efecto secundario en los hombres.

No solo es más común de lo que se suele reconocer, sino que, por lo general, se trata de un problema que tiene solución y no es demasiado complejo de resolver. Lo importante es saber que lo único realmente negativo del «gatillazo» es si él se obsesiona y, una vez que le ha sucedido, cree que siempre será así, cuando en la inmensa mayoría de los casos suele ser un hecho aislado.

CÓMO ENCARARLA

Lo mejor para evitar futuras disfunciones eréctiles, si se ha tenido alguna, es relajarse y buscar en el propio interior de la mente y los sentimientos las causas que puedan haber generado el problema.

En segundo lugar, se trata a veces de cambiar el patrón mental que se tiene del sexo: no es una competición ni hay que batir marcas, sino que lo mejor es ser natural y disfrutar serenamente del erotismo.

A veces es muy enriquecedor el diálogo con la pareja, que suele ser comprensiva y ayudar con sus estímulos a que no vuelva a suceder. Y si en algún momento hace falta, porque el problema persiste, quizás es oportuno acudir a la consulta de un psicólogo o un sexólogo experto.

La sexualidad es un terreno complejo y cuanto menos pendientes estén, tanto él como ella, de la erección, menos fallará. Una sexualidad plena es la que lleva a gozar a los dos, con o sin penetración.

Muchos jóvenes tienen un «gatillazo» durante su primera relación sexual, por más excitados que estén. En algunos casos porque están muy pendientes de no defraudar a su chica y eso les comunica mucha presión, o porque tienen baja la autoestima, sienten inseguridad y otros sentimientos negativos, e incluso se desconcentran al ponerse el preservativo.

20

LA IMPOTENCIA

Este trastorno consiste en la incapacidad repetida y constante de mantener una erección, por falta de irrigación sanguínea hacia el pene, lo que impide la penetración y el coito. Es muy importante no confundirla con la disfunción eréctil o la erección irregular, que ocurren de forma circunstancial.

Para saber con seguridad que se trata de impotencia se recurre a las estadísticas: si se produjo al menos en el 25 por ciento de los intentos, es indudablemente dicho trastorno y no la falta de erección pasajera, que alguna vez en la vida les sucede a prácticamente todos los hombres.

En la impotencia se reconocen tres estadios o grados: primario, secundario y situacional. El primero de ellos es el que se padece desde el propio inicio de la vida sexual; el segundo es habitual en hombres que han tenido erecciones satisfactorias en el pasado; y la llamada impotencia situacional es propia de momentos muy concretos o solo se produce mientras se mantienen relaciones eróticas con ciertas personas. La más grave o primaria representa únicamente el 10 por ciento de los casos.

Las causas que originan este trastorno pueden ser físicas, sobre todo en hombres que superan los cuarenta y cinco años, y en un alto porcentaje se debe a tensión arterial alta, exceso de colesterol o enfermedades cardíacas, entre otras, porque afectan al sistema arterial, restringiendo la afluencia de sangre hacia el pene.

CONOCER EL ORIGEN

En primer lugar, como en toda disfunción, es preciso conocer su origen. Si es psicológico, realizar una terapia adecuada y descubrir el trauma causante de la impotencia, que puede ser muy diverso en cada persona: experiencias anteriores fallidas o rechazo en algún contacto sexual. Ambos pueden motivar una baja autoestima o inseguridad, que se expresan en frustración y sentimientos de ansiedad que bloquean la libido en un intento de autoprotección, con la intención de no repetir los fallos. Asimismo, una educación restrictiva o haber sido objeto de abusos sexuales a temprana edad pueden causar impotencia.

Pero si el origen es la consecuencia de una enfermedad física o del efecto secundario de un fármaco, el médico indicará el tratamiento a seguir o el cambio del mismo, para seguir tratando el trastorno que requiere el medicamento en cuestión y que, a la vez, la vida sexual pueda normalizarse.

Existen muchos fármacos para resolver la impotencia, aunque estos deben ser recetados por un especialista, después de una revisión general, para averiguar la dosis exacta y más efectiva en cada caso. Sin embargo, su acción no es automática ni

Una vez que se ha mantenido contacto sexual completo la erección desaparece y, si llegara a persistir más tiempo de lo indicado en el prospecto, debe consultarse al médico que recetó la medicina.

inmediata y hace falta que la libido se active; es decir, que solo son eficaces si el hombre se siente sexualmente excitado. Una vez que se ha mantenido contacto sexual completo la erección desaparece y, si llegara a persistir más tiempo de lo indicado en el prospecto, debe consultarse al médico que recetó la medicina.

A veces este trastorno tiene su mayor enemigo en la propia persona que lo padece, porque son muchos los hombres que eluden pedir ayuda a un profesional cuando se trata de problemas sexuales, y basta con visitar al médico de cabecera, explicando con franqueza lo que ocurre, para que este indique el tratamiento adecuado.

21

LA INTELIGENCIA SEXUAL

Muchas personas se preguntan qué es o la consideran un rasgo genético e inherente al carácter. Pero no es así: no se nace con inteligencia sexual, sino que se va aprendiendo desde el comienzo y a lo largo de toda la vida.

Influyen en ella la educación recibida en la infancia, las experiencias que se tienen, el núcleo social en que cada persona se desenvuelve: desde sus relaciones amistosas o amorosas iniciales hasta las nociones culturales que se adquieren a través del cine, la lectura y los medios de comunicación. Esa es la manera en que se va desarrollando la inteligencia sexual.

Un pilar importantísimo es la percepción que tienen los niños de las relaciones de sus padres, tanto entre ellos como con sus hijos, ya que son estas primeras pautas de conducta las que les dejarán una huella que, en el futuro, cuando esos niños ya sean adultos, imprimirán a su propia sexualidad.

Si en la familia el contacto físico es habitual, se reciben y se dan besos y abrazos o se intercambian otras formas de cariño, los niños sentirán que las caricias son una forma natural de relacionarse, lo que más tarde volcarán en sus propias relaciones amorosas, eróticas y familiares.

En cuanto al sexo, hoy la actitud es más abierta y los niños reciben información tanto en casa como en la escuela. De manera que saben que es algo propio del ser humano y tan válido como cualquier otro sentimiento o impulso. Este conocimiento ofrece una vía directa hacia la posibilidad de mantener, a edades mayores, la plenitud sexual o, por lo menos, con menores conflictos.

Con el paso del tiempo y el aumento de vivencias con una actitud abierta hacia el universo erótico, la inteligencia sexual se acrecienta y es posible sentir que el sexo es algo mágico, en el que es posible hallar placer y, en ocasiones, también amor.

Una buena vida sexual no consiste en prestar atención a los pequeños detalles íntimos con los que brindar y recibir placer. El sexo es una parte crucial de la vida y de las relaciones, sean estas más o menos largas; modificar y estimular la inteligencia sexual es un buen camino para disfrutarlo mejor y con más plenitud.

22
¿DÓNDE HABITA EL DESEO?

Como motor e impulso del sexo, el deseo indudablemente tiene su punto de partida en personas sanas con un buen funcionamiento fisiológico y hormonal. Pero incluso estas a veces notan su libido a bajo nivel o pasan temporadas de apatía erótica.

Eso ocurre porque el verdadero órgano de la sexualidad, su auténtica residencia, es la mente. Ella potencia el anhelo sensual o lo inhibe.

Las razones pueden ser de carácter externo: una dura jornada laboral u hogareña; o de tipo emocional, como desencuentros entre amantes que generen estrés y anulen el deseo.

Centrar el sexo únicamente en lo biológico es minimizar esta importante esfera

mujeres responden de manera parecida al deseo, aunque los estímulos sexuales que generan la atracción son de índole diversa. Sin embargo, percibir que el amante no se siente erotizado al mismo tiempo genera inhibición, al igual que el miedo a no gustarle o no responder sexualmente a sus expectativas.

y cerrar la puerta al potencial inmenso del placer.

Muchas veces influye la diferencia de biorritmos de la pareja, que determina que su energía sensual esté despierta a distintas horas. Algunas mujeres no desean mantener contacto erótico por la mañana y otras sienten, después de un buen descanso, toda su libido alerta. Ellos, que pasan la noche entera rozando el cálido cuerpo de su amante, se excitan durante el sueño y por la mañana están dispuestos a disfrutar de una intensa sesión sexual, o despiertan urgidos por las obligaciones diarias y no se interesan por la relación pasional.

Combinar las energías y que el deseo palpite al mismo tiempo no es difícil; basta con iniciar los juegos preliminares para que se despierte el propio instinto y, si no funciona, un recurso es evitar la frustración recurriendo al autoerotismo y esperar un momento más propicio.

23

AUSENCIA DE DESEO

Cuando una relación sexual funciona dando el máximo placer a los amantes no se les pasa por la mente que eso pueda cambiar.

Sin embargo, tanto ellos como ellas, con el paso del tiempo, pueden descubrir que ya no se sienten motivados, que el sexo ha dejado de ser importante y ha dado paso a la ausencia de deseo.

¿Qué es lo que provoca este estado que incide directamente en la calidad de la vida erótica? La respuesta es: fundamentalmente, la rutina; haber permitido que se instale la monotonía, bajo la forma de estímulos siempre iguales, hacer el amor permanentemente en la misma posición o practicar los mismos juegos que, al final, terminan por no crear sorpresa, in-

El descenso de la libido puede deberse también, en ambos sexos, a causas biológicas, como una disfunción hormonal, problemas orgánicos, efectos secundarios provocados por ciertos fármacos o el consumo de alcohol o drogas. La solución en estos casos es recurrir a la ayuda de médicos y enfrentarse a estos problemas con confianza y valentía.

gradiente decisivo para que la pasión se mantenga viva.

A veces la falta de deseo ocurre ya al inicio de la relación; esto suele deberse a algún trauma, como una violación, a fracasos previos o a una educación rígida, como también a baja autoestima, depresión o ansiedad.

Para enfrentarse a ello es preciso recrear el contacto sexual para que contenga o recupere la magia, echando a volar la imaginación.

24

ELLA Y SUS ZONAS ERÓGENAS

Potencialmente, todo el cuerpo femenino, en cada repliegue de su piel, reacciona a la estimulación erótica. Sin embargo, indudablemente, hay ciertos puntos sexualmente más excitables, porque en ellos se localizan los centros de sensibilidad, cuyo tejido reacciona más intensamente ante las caricias, a los que se conoce como zonas erógenas.

Según su nivel de reacción al estímulo, esas zonas se dividen en primarias y secundarias: las primeras coinciden con los genitales, a los que se suman los senos, ya que tanto sus copas como las areolas y, fundamentalmente, los pezones, responden con intensidad a los mimos y caricias.

En cuanto a los centros secundarios, la riqueza de la sensualidad femenina es tal, que en su cuerpo son múltiples los puntos eróticamente sensitivos, pero algunos destacan de forma singular, como la línea que recorre ambos lados del talle junto a los pechos o el interior de los muslos, entre otros, que varían de una mujer a otra y que tanto ella como el amante aprenden a conocer a medida que se va acrecentando la experiencia sensual.

PARA HACERLA DISFRUTAR

A la mayoría de las mujeres, por más deseo que sientan, no les resulta grata una aproximación brusca o que se busquen directamente y de inmediato sus genitales. El despertar de la sensualidad es lento en algunas mujeres, pero muy expresivo en reacciones; esto, lejos de ser un inconveniente, le va proporcionando placer poco a poco pero en aumento, y no solo a ella, sino también al amante, al sentir y ver cómo se va elevando su nivel de excitación.

Indudablemente, si hay un punto que a ellas las envuelve en el goce máximo, este es el clítoris. Ese pequeño órgano es

A la mayoría de las mujeres, por más deseo que sientan, no les resulta grata una aproximación brusca o que se busquen directamente y de inmediato sus genitales.

la clave del disfrute y del orgasmo. Por eso, lamerlo, besarlo o acariciarlo de mil maneras las erotiza y, cuando vibra en oleadas de placer, estas se van transmitiendo al cerebro y a todos los rincones de su piel, hasta hacerle perder el sentido de la realidad.

Sin embargo, antes de llegar al centro neurálgico, lo ideal es que el amante delicado y experto vaya con calma hasta acercarse de lleno al mismo.

En primer lugar, los besos son caricias sumamente incitantes; por eso, una buena manera de iniciar el recorrido para estimularla es besar diversas partes de su rostro: los párpados, el arco de las cejas, el lóbulo de las orejas, así como también su interior, y, por supuesto, la boca y los labios.

Aprender el arte de besar es muy placentero. Lamer los labios por fuera, mordisquearlos, penetrar en la cavidad de la boca con la punta de la lengua, buscando la de ella para enredar ambas e intercambiar el disfrute, siempre resulta incitante y es uno de los juegos previos más gratos para elevar la libido.

Mientras se la besa, un incentivo aña-
dido es acariciar sus hombros y su nuca, la
hendidura de la espalda, a lo largo de
la columna vertebral, y, por delante del
torso, juguetear con los pechos o rodear
con las manos su cintura, para ir bajando
lentamente hacia el ombligo. Al llegar a
este sitio preciso ella expresa su placer,
a veces gimiendo o jadeando. Además,
naturalmente arquea hacia adelante las
caderas y, casi sin darse cuenta, sus muslos
se van abriendo al sentir los fluidos que le
humedecen la vulva.

En ese momento él puede ir descendiendo, acariciar los dedos de los pies, lamerlos; luego subir por el interior de las
piernas y los muslos, cuando ya ella esté
anhelando una caricia directa e intensa en
su pubis.

UN PUNTO PRIVILEGIADO

Volviendo a una de las zonas álgidas,
saber despertar sensaciones en los pechos femeninos es algo muy especial. Esta
es una parte del cuerpo femenino induda-

blemente señalada en rojo como erógena, y por lo general, ellas se excitan mucho cuando se estimula.

No obstante, no hay que olvidar que, como en todo, y en especial en la sexualidad, no hay recetas ni normas. Algunas mujeres se sienten molestas o tienen el delicado tejido de los pezones muy irritable y no desean que se los excite, aunque se trata de casos poco frecuentes. Para disfrutar de una buena sexualidad ella debe comunicar si estas sensaciones existen y él respetar sus límites. La negativa a dejarse acariciar los pechos también puede deberse a alguna razón de índole psicológica o social, ya que quizá ella considere que no son bonitos en función de los patrones publicitarios de moda o cualquier otra razón que la inhiba.

Pero si no es así, dedicarse plena y lentamente a excitar los senos puede llevarla incluso al orgasmo o intensificarlo infinitamente si se combina su estímulo durante la penetración con el del clítoris.

Hay mujeres que prefieren la caricia de las manos y otras que responden mejor a

Una mujer temerosa de no gustar puede sentirse tan inhibida que incluso ciertas zonas que le proporcionan un intenso placer cuando ella se autoerotiza pueden convertirse en insensibles o provocar su rechazo si el amante intenta estimularlas. En estos casos debe entrar en juego la sensibilidad de él, ya que se trata de un obstáculo posible de vencer a medida que crece la confianza.

la humedad de la lengua recorriéndolos. En ambos casos, es posible dibujarlos, ya sea con las yemas de los dedos o las palmas de las manos, al igual que con los labios y la lengua, desde la base y haciendo un círculo que los englobe, trazando su perímetro y rozando suavemente, acariciando o lamiendo la delicada hondonada entre los mismos. Luego, acercarse lentamente a las areolas y trazar también su contorno, hasta encararse directamente con los pezones. El placer y el grado de excitación que ella siente son claramente notables, porque los pechos van creciendo en tamaño y turgencia, los pezones se tensan y parecen alargarse en busca de las manos o los labios por los que desean ser mimados.

BUSCANDO LA DIANA DEL PLACER

Cuando él ya está estimulando el ombligo y discurre con un dedo o con la punta de su lengua por un itinerario descendente, en toda la zona que va desde el monte de Venus hasta la puerta del conducto anal se dispara la máxima alerta sexual. La imaginación tiene un papel preponderante en este punto del intercambio erótico y brinda las más ricas posibilidades para ejercer el arte de la sensualidad.

Lanzarse a juguetear con el vello púbico, encerrar la vulva que palpitará deseosa de ser mimada por efecto de la excitación, recorrer las ingles y la línea posterior que parte en dos las nalgas es intensamente sensual para ella. Luego, estimular los labios mayores y menores, trazar el círculo de la entrada vaginal y mojar un dedo en sus fluidos, para llevarlo arriba y abajo del perineo hasta volver a trazar otro círculo, pero en este caso en el anillo anal, aumenta el morbo de ella, que anhela ya la caricia directa en el clítoris, que la conducirá hasta la antesala del placer supremo.

Hay infinitas y variadas formas de estimularlo: caricias leves como alas de mariposa o profundos roces de uno o varios dedos, convertir la lengua en un pincel que lo rodee, lo recorra, lo invite a crecer y a salir de su reducto: rotar, lamer, sorber,

El verdadero órgano sexual es la mente; por más sensibilidad que ella tenga y por más excitada que esté, si la inhiben el pudor, la vergüenza o el temor al rechazo no conseguirá gozar. Y su inhibición se trasladará al amante; por lo que resulta fundamental comunicar lo que ocurre y recorrer juntos el sendero de recuperar de pleno el placer compartido con total libertad.

encerrar sus lados entre dos dedos mientras la lengua golpetea sobre ese tierno y vulnerable tejido, y todo aquello que ella desee; ese es el estímulo indicado, que cada vez puede ser distinto, nuevo y creativo para multiplicar las sensaciones.

DELEITE INESPERADO

Si hay algo a lo que muchas mujeres temen y defienden como último reducto de intimidad es el estímulo en la zona anal y, sobre todo, el cruce de la frontera exterior de ese conducto escondido. Sin embargo, saben que ahí se oculta un placer desconocido porque lo sienten vibrar cuando están muy excitadas y se dilata naturalmente, así como notan sus estremecimientos de disfrute cuando, como un rayo, todo su cuerpo es atravesado por el clímax.

El amante sabio puede iniciarla, poco a poco, en este goce singular, mimando su perineo con delicadeza, lamiendo el anillo exterior y golpeteando con la punta de la lengua en el centro del orificio.

La respuesta sensual no se hará esperar, sumando morbo al deseo y excitando al máximo toda la zona erógena que encierran sus genitales, hasta que ella se desborde en un orgasmo o lo ansíe cuando se produzca la penetración y su clítoris sea estimulado hasta el final.

25

ÉL Y SUS ZONAS ERÓGENAS

Distribuidos por distintas zonas del cuerpo hay ciertos centros que responden rápidamente a las sensaciones y que al ser estimulados elevan el nivel de la libido. En los hombres, las zonas erógenas llamadas primarias, por su extrema sensitividad, son los genitales: el pene, que registra diversos grados de sensibilidad según se excite su raíz, el tronco, el frenillo o el glande, aunque todo su tejido es muy sensible, así como el perineo y, especialmente, el escroto, donde se alojan los testículos.

En cuanto a las zonas erógenas secundarias, depende de cada uno descubrir durante el juego sensual cuáles son, ya que pueden situarse en diferentes partes del mapa corporal y ser distintas de un

En cuanto a las zonas erógenas secundarias, depende de cada uno descubrir durante el juego sensual cuáles son, ya que pueden situarse en diferentes partes del mapa corporal y ser distintas de un hombre a otro.

hombre a otro. Lo cierto es que a algunos los excita una determinada zona que a otros les es indiferente. La única manera de reconocer cuáles dan disfrute es una vez que este se ha experimentado. Pero cuando por fin se han localizado, el goce sexual no tiene límites y el horizonte erótico se extiende más y más, con su carga indescriptible que arrasa como un torrente de la naturaleza, inquietando, sensibilizando, elevando el umbral de las percepciones hasta que se llega a la total relajación que sucede a la explosión del clímax.

PARA HACERLO DISFRUTAR

Aunque él sienta que su deseo se ha despertado, limitarse al acto de la pura y simple estimulación genital obtendrá una respuesta grata pero pobre, que solo sirve como descarga física y no como requiere la rica sensualidad, que es ser mimada en cada hueco y recodo de la piel.

Darse tiempo para disfrutar, jugar y experimentar compensa enormemente cuando la voluptuosidad se lanza a describir un sendero imparable, que no busca la meta final únicamente, sino la voluptuosidad que se oculta en cada punto del camino.

Por eso, si la amante realmente quiere sentir cómo se eleva al máximo el morbo masculino, lo más sensual no es estimular directa y llanamente las zonas álgidas, sino dedicarse a acariciar todo su cuerpo, sin prisa y sin pausa. Cuando ella se acerca y lo besa en la sensible zona de los labios y el interior de la boca, rozándolo con su cuerpo o frotándose contra él, pronto el pene despertará, respondiendo con una erección; sin embargo, tampoco entonces es el momento, aún queda mucho camino hasta llegar a la penetración y el coito.

Juguetear a mordisquearles las orejas, lamerlas y luego soplar suavemente encima hasta que la piel se eriza, les proporciona a muchos hombres sensaciones altamente eróticas. Pasar las uñas con suavidad por sus hombros y la línea que divide su espalda, hasta llegar al punto donde las nalgas se parten, es otro estímulo gozoso, que a ellos les inspira devolver las caricias, lo que a su vez suma excitación.

Las manos

reaccionan rápidamente a los estímulos. Si ella deposita tiernos y pequeños besos en sus palmas y las recorre con la lengua humedeciéndolas, presionando aquí o allí, trocito a trocito, lamiendo el punto donde se juntan con los dedos y luego chupando cada uno de ellos como si tuviera una golosina en la boca, a él lo excitará enormemente porque le despierta la fantasía de la felación.

DE GRAN SENSIBILIDAD

La mayoría de los hombres, por razones culturales o de educación, limitan tanto en su pensamiento como en su conducta sexual el goce a su área genital y, sobre todo, al órgano masculino por excelencia, el pene. Pero son muchos los que, si optan por los juegos eróticos libres y desprejuiciados, descubren otros puntos que amplían su sensualidad. Uno de ellos es la extrema sensibilidad que se encuentra en las tetillas. Los pezones y las areolas no son exclusivamente erógenos para la mujer; también los hombres, si se acarician y masajean muy tenuemente al principio sus pezones, se los besa con un contacto ligero de los labios o se les pasa la lengua levemente, notarán cómo se erizan al compás en que crece su libido.

A medida que el placer se va registrando y crece la intensidad de la excitación en este punto, les deparará a ellos un goce cada vez mayor y anhelarán la caricia.

Otros puntos que en el torso masculino son también muy erógenos son los hombros, el cuello, el interior de los brazos y, por detrás, además de la espalda, también el coxis y las nalgas.

Los más reacios o los que disfrutan menos al principio son quienes tienen pezones muy pequeños, apenas asomados a la superficie, pero también en estos casos, finalmente, les resultará eróticamente gratificante sentirlos enervados y erectos.

Humedecerlos con la lengua y soplar luego encima de los pezones y las areolas genera un estremecimiento que recorre todo el cuerpo; además suele tener como consecuencia directa el aumento y firmeza de la erección.

Otros puntos que en el torso masculino son también muy erógenos son los hombros, el cuello, el interior de los brazos y, por detrás, además de la espalda, también las nalgas y la línea en que se dividen, cuando se roza pasando un dedo suavemente, o incluso situándose por detrás para recorrer con la lengua la espina dorsal y seguir hacia abajo lamiendo hasta donde conduzca la pasión.

REFINADO EROTISMO

En la antesala del máximo placer, en el momento del estímulo directo en los genitales, que él espera anhelante, porque desea ser masturbado y lamido en esa zona de alta potencia sexual, en lugar de ir directamente, lo más incitante son los rodeos y la aproximación lenta.

Es excitante para él que se tome el pene entre las manos, masajear el tronco, ir hacia la punta, juguetear con el frenillo, y dejar de hacerlo, una y otra vez. Luego, lamer la punta del miembro e ir hacia el centro de la bolsa escrotal también sorbiendo, acariciar y mimar con la boca el perineo y rodear los testículos con los labios abiertos ofrece a los hombres un placer extremo en sí mismo y eleva el deseo aún más.

Todo el pene es ultrasensible, pero ciertos pequeños puntos disparan el ansia hasta el infinito y la erección surge impetuosa o se intensifica. El glande es uno de ellos: su suave textura le causa un estremecimiento al ser tocado o lamido, tam-

Todo el cuerpo contiene secretos por descubrir aunque cada persona tenga sus preferencias: apresar los tobillos de él entre nuestras manos haciendo un círculo y luego desplegar los dedos para acariciar el empeine y la planta evitando las cosquillas, así como acariciar, besar y lamer cada dedo de sus pies, es sumamente sensual.

bién el frenillo, y recorrer la uretra a lo largo del miembro, que envía sensaciones de gran potencia al cerebro y a cada centímetro de la piel.

Igualmente sensible es la bolsa del escroto, que hay que mimar con extremo cuidado, ya que el roce demasiado enérgico puede causar dolor y rechazo en contactos sexuales posteriores.

Al final del perineo comienza el territorio del anillo anal, muy poblado de terminales nerviosas. Otros puntos también muy sensitivos son el interior de los muslos, las ingles, el pubis y las nalgas.

SIN REGLAS

No hay fórmulas mágicas para erotizar; lo mejor es comportarse con naturalidad, libres de complejos e inhibiciones. Si el placer que se siente impulsa a gritar o a decir frases inconexas, o el deseo se eleva mirando imágenes sensuales, hay que dejarse llevar y experimentarlo todo.

Tampoco hay reglas fijas que indiquen que cierto punto es más erógeno que otro, cualquiera puede serlo: desde la fina piel que recubre las articulaciones de las muñecas o los codos hasta la frágil y escondida oquedad que está detrás de las rodillas; se trata de jugar a «todo es posible» en el universo de la sexualidad y hay que probar lo que más erotiza en cada momento.

Una buena costumbre es comunicarse: pedir, explicar, relatar a la pareja sexual qué es lo que más complace. Y si no se puede o se quiere expresarlo en palabras, hacerlo con la garganta que estalla en gemidos o gritos, con el quiebro del cuerpo, la ondulación de las caderas y la cintura, ofrecer esa parte que anhela la caricia, acercándola a las manos o la boca de la amante para que le preste atención y la mime.

Es que a veces, en el sexo, las palabras no alcanzan a expresar el alto grado de pasión que se siente o lo que tanto se ansía y debe «decirse» en el expresivo lenguaje de la piel y los sentidos.

Se trata de jugar a «todo es posible» en el universo de la sexualidad y hay que probar lo que más erotiza en cada momento.

26

SENTIDOS Y SENSIBILIDAD

Percibimos el mundo a través de los sentidos. La vista imprime en la memoria las imágenes; el oído registra y recuerda sonidos; el olfato acepta o rechaza ciertos olores y también el gusto con distintos sabores.

Y el tacto es un sentido total, porque se siente con la piel de todo el cuerpo y sus terminaciones nerviosas captan hasta el más mínimo roce, aunque la sensibilidad no sea igual en la rodilla o el codo que en los labios o las manos.

Pero si hay una vivencia donde los sentidos son cruciales, porque la enriquecen infinitamente, es la experiencia sensual.

El erotismo se nutre de imágenes del cuerpo deseado y, sin duda alguna, del tacto, al tocar, acariciar, rozar y besar.

Pero la excitación despierta como un torrente si se añaden el olfato, el oído y el gusto. Las percepciones de los cinco sentidos durante el sexo viajan al cerebro y estallan luego en cada punto erógeno del cuerpo, como una corriente eléctrica, elevando el grado de deseo y el disfrute.

SIN LÍMITES

La vista de un cuerpo desnudo es excitante, pero verlo parte por parte, en una ceremonia en la que el amante se va despojando de cada prenda, tiene un morbo especial; lo mismo ocurre al mirar películas o imágenes eróticas, que además de despertar la libido resultan muy inspiradoras.

Besarse, acariciarse y mantener un coito en silencio es gratificante, pero si a la vez se oyen ronroneos, gemidos, gritos de placer o palabras dictadas por la pasión que transmiten lo que se siente, la excitación se dispara.

El olor natural de los cuerpos, y sobre todo de los genitales, resulta estimulante para muchas personas; en especial para algunos lo es el aroma de la vulva o del sudor del amante. También untarse mutuamente el cuerpo con esencias perfumadas o compartir un baño de espuma aromatizada acrecienta la pasión; como ocurre si un perfume grato envuelve el ambiente, lo que es tan sencillo de lograr como encender velas o incienso. Disfrutar de los sabores de una comida y después hacer el amor es la «receta» de muchas parejas. Porque los sabores juegan su papel también durante la práctica sexual: cava para mojar los pezones y besarlos, crema de chocolate para untar el pene y lamerlo, darse a comer uvas o fresas, traspasándolas de una a otra boca, son solo algunas ideas que potencian la pasión.

Tocarlo todo y con todo es uno de los mayores secretos del disfrute erótico: las sensaciones de la piel en cualquier parte del cuerpo que se acaricie y con lo que se acaricie son infinitas; yemas de los dedos, pies, cabello, nariz o senos para sentir las más diversas partes de la piel de la pareja;

Se han realizado estudios que asocian el sentido del olfato con el ciclo menstrual. Las mujeres que olieron el sudor de otras tuvieron su período casi al mismo tiempo, y lo mismo ocurrió con las que compartían dormitorio. Por otra parte, aquellas que tenían ciclos irregulares, más cortos o largos, se normalizaron al percibir el sudor de axilas masculinas.

y además, crear nuevas caricias es una senda para saber lo que excita más, para conocer las enormes posibilidades del goce propio y ajeno.

27

EN ALAS DE LA FANTASÍA

La relación entre fantasía y sexualidad tiene una doble dirección: fantasear alimenta el deseo, la excitación y el placer, pudiendo llevar hasta el clímax; y el sexo, a su vez, va nutriendo y creando cada vez más fantasías, se concreten o no alguna vez.

Tanto él como ella, cuando se estimulan en solitario, lo hacen guiándose por sus fantasías. A veces ocurre lo opuesto: se recuerda un gesto, un sonido, un perfume o una relación sexual que ha dejado una huella profunda para que la imaginación eche a volar y un hombre o una mujer comiencen a masturbarse. Acaso lo más significativo de la fantasía sexual es que no necesariamente se desea ponerla en práctica; para muchas personas, man-

Fantasear

disfrutando del sexo con una persona distinta de aquella con la que se está realmente es más usual de lo que se cree. No es una rareza ni algo fuera de lo normal, ya que la sexualidad es personal e intransferible, única para cada hombre o mujer. Seguir el propio instinto para gozar es grato y saludable y aunque todos fantasean, son pocos quienes lo confiesan.

tener en secreto ciertas ensoñaciones es la clave del goce, incluso cuando están con su pareja, y ese es el detonante que intensifica su orgasmo.

Si se decide compartir las fantasías, estas pueden enriquecer las relaciones y acrecentar el morbo del otro; del mismo modo que pueden reproducirse como parte del juego erótico. Sin embargo, si esto no ocurre, siempre serán un recurso para ganar mayor libertad, tanto mental como sensual, sin peligro de que en la práctica resulten frustrantes o haya que pisar un terreno inexplorado y a veces dificultoso.

Para la imaginación no hay fronteras, censuras ni necesidad de llegar a acuerdos; de modo que en ese aspecto el placer es ilimitado y siempre aporta algo nuevo, evitando la peligrosa rutina y la repetición: dos grandes enemigos de una buena vida sexual.

LIBERTAD PARA IMAGINAR

Ambos sexos, cuando están al inicio de una relación y se autoestimulan, sueñan o imaginan a solas cómo será tras-pasar la próxima frontera: la felación o el cunnilingus, la penetración anal o cual-quier otra.

Mientras ellas fantasean con un hom-bre que las atrae con quien es improbable que alguna vez compartan sexo, sienten que es ese alguien especial el que las está estimulando aunque se trate de sus pro-pias caricias y sus íntimos jugueteos sen-suales. Ciertos deseos que forman parte del imaginario femenino, como mantener una apasionada relación sexual con un desconocido, con un compañero de tra-bajo o con otra mujer, tienen cabida en las fantasías, sin que el miedo o los prejui-cios perturben el goce. Además, no siem-pre fantasear significa querer que algo ocurra de verdad.

Ellos, por su parte, atraídos por la rica sensualidad femenina, sienten que siem-pre hay un último rincón de misterio por descubrir, por más intimidad que tengan con la amante, y fantasean con eso y, en innumerables ocasiones, sueñan que dis-frutan del sexo con más de una mujer.

Algunas personas, sobre todo mujeres, sienten culpa si fantasean con otros, como si estuvieran cometiendo una infidelidad. Pero no debe confundirse realidad con fantasía: lo creado en la ensoñación sensual no está sucediendo. Y si dispara el impulso sexual, aumentando el placer, lo mejor es darle la bienvenida y lanzarse tan lejos como dicte la propia imaginación.

28

CARICIAS ESTIMULANTES

La piel de todo el cuerpo tiene registros sensibles de alta intensidad. Los roces y frotamientos con las palmas de las manos comunican al amante las propias sensaciones de deseo y, a la vez, las despiertan. Los dedos deslizándose, lenta o rápidamente, trasladan su calor y elevan al mismo tiempo la temperatura de quienes los sienten pasearse por encima de su sensitiva geografía corporal descubriendo muchas veces puntos que ni siquiera se sabía que podían ser sensitivos.

Durante los preliminares, acariciar y recibir la carga sensual de la caricia del amante es una buena forma, tanto de autoconocimiento como de darse a conocer y aprender los puntos álgidos que más tarde se podrán mimar especialmente a medida que se avance en los juegos de la excitación.

Estos primeros pasos de estimularse a través de caricias caldean el ambiente y preparan para lo que vendrá después: son, en suma, una deliciosa promesa sexual.

UN MUNDO DE POSIBILIDADES

No existe un «catálogo» de caricias que sea necesario aprender. Cada persona tiene un tacto diferente al ofrecerlas, y quienes las reciben las sienten de manera distinta y personal.

Pueden ser suaves y tiernas, como alas de mariposa, caricias que se demoran en un punto, indagando si las sensaciones son más intensas al frotar, rozar, presionar o golpetear. Las hay también recias hasta el punto de la violencia; urgentes, que viajan junto al anhelo que despierta la piel del cuerpo que se desea; en forma de pellizquitos leves o firmes, que averiguan lo estimulantes que resultan para la piel de la pareja. Pero el mundo de las caricias es también tan misterioso y amplio como quienes las dan o las reciben. No siempre se ofrece el mismo estímulo en cada contacto erótico, la sensualidad y la propia excitación van dictando si se quiere tocar con las yemas de los dedos, las palmas, los nudillos...

Y lo mismo ocurre, dependiendo del estado anímico personal, qué toque gusta cierto día más que otro, o deja indiferente y hasta puede molestar en ciertas ocasiones.

A las caricias con cualquier parte del cuerpo y en cualquiera de ellas puede sumarse el alternar las temperaturas, lo que resulta tan estimulante como novedoso: un cubito de hielo que roza la boca o ciertos puntos esencialmente erógenos genera un placer que estremece; y una tela previamente sometida a una fuente de calor excita enormemente. Alternar ambos estímulos, para que se perciba el contraste entre frío y calor, provoca sensaciones inéditas.

De manera que acariciar es una puerta abierta al placer de todo tipo y que no

Las caricias

hechas con pañuelos o plumas son sumamente placenteras tanto para él como para ella. El roce de esas suaves texturas en los puntos erógenos o en cualquier otra parte del cuerpo resulta excitante y ofrece sensaciones inéditas que evitan la repetición constante del único contacto de las manos o los labios sobre la piel.

deja sin investigar un solo rincón del cuerpo; tan estimulante puede ser acariciarse el uno al otro, que hay parejas que llegan solamente acariciándose al orgasmo.

Pero, sobre todo, que ella o él inventen caricias para complacer y responder al propio deseo y al del amante permite huir de la rutina, descubrir nuevas maneras de excitarse durante el contacto sexual y ampliar la gama de sensaciones táctiles en todo el cuerpo.

29

CLAVES PARA ACARICIARLA

La singular y rica sexualidad femenina va despertando a medida que se la estimula eficazmente, ya que aunque su libido esté anhelante, puede enfriarla el hecho de que él, guiado por un intenso grado de deseo, vaya directamente a la penetración. Por eso, para ella los juegos eróticos previos son decisivos, hacen nacer su propio goce y también las ganas de compartirlo con su pareja.

La mayoría de las mujeres son receptivas y perciben con nitidez el deseo de su amante, pero si él inicia el contacto abrazándola y besándola, respetando el compás preciso en que su morbo se va elevando, todo su cuerpo registra el estímulo sensual que la erotiza.

Aunque depende de cada personalidad y del estado anímico o las circunstancias del encuentro sexual, ella suele preferir una prolongada sesión de caricias tiernas que van creciendo hasta llegar, poco a poco, hasta los puntos que más placer le dan. Por supuesto que, en ocasiones, también la satisface una aproximación marcada por la urgencia de la pasión.

MIMAR EL CUERPO FEMENINO

Él puede empezar acariciando su rostro con las yemas de los dedos, dibujando su contorno y delineando cada una de las facciones, hasta llegar a los labios y besarlos suavemente, solo insinuando una caricia que puede ir más allá, con la punta de su lengua, y, si ella responde, introducirla y juguetear a enredar ambas.

Luego recorrer los lados del torso, rozar las axilas y mimar largamente los brazos a todo lo largo y en su parte externa e interna, deteniéndose a percibir el latido en el repliegue de los codos y en el dorso de las muñecas.

El siguiente destino es el pecho, prestando especial atención a las copas pri-

Si al mismo tiempo que la mima el amante expresa verbalmente cuánto le gusta acariciarla y su placer al sentir las partes de piel que va rozando y estimulando, ella se sentirá aún más estimulada; las palabras sensuales dichas en el oído femenino suelen ser uno de los afrodisíacos más poderosos.

mero y centrándose después en los pezones.

La espalda es también un territorio a explorar con caricias de diversos tipos, pasando los nudillos por la espina dorsal, lo que resulta estremecedor para ambos por la reacción que se nota en cada vértebra, sin olvidar la nuca y la raíz del pelo. Luego, volviendo nuevamente el cuerpo de ella boca arriba, acariciarle el abdomen y el sitio preciso del ombligo.

En suma, ella disfruta plenamente cuando él dedica tiempo a excitarla durante los juegos previos al coito y también si siente que él inventa nuevas caricias en cada ocasión para sorprenderla y llevarla al borde del máximo placer.

Aunque las manos son las más hábiles para la caricia, no hay que dejar de hacerlas con otras partes del cuerpo: los pies, el pene o cualquier otra que surja en cada momento.

La espalda es también un territorio a explorar con caricias de diversos tipos, pasando los nudillos por la espina dorsal, lo que resulta estremecedor para ambos por la reacción que se nota en cada vértebra, sin olvidar la nuca y la raíz del pelo.

30
CLAVES PARA ACARICIARLO

Todo el cuerpo masculino reacciona con placer al ser acariciado por la amante. Se siente mimado, atendido y, a la vez que sus músculos se relajan, los núcleos erógenos de su piel se tensan a la espera del roce las manos. Ella notará en cada punto si desea una caricia más leve o más intensa y, además, estas pueden ser más expresivas y despertar mayores reacciones si son inesperadas.

Durante los juegos previos al momento culminante de la penetración y el coito, si ella es imaginativa y se deja llevar por sus ideas más audaces, podrá inventar para él caricias que lo sorprendan y que hallen en su cuerpo un eco inédito que lo haga estremecerse de placer, disfrutando ella al mismo tiempo de la sensación que ha provocado.

Acariciarlo con los labios, los pies, los codos o los pechos para aumentar su gozo. También es posible indagar sin palabras, observando sus reacciones, o hacerlo verbalmente, preguntándole directamente qué es lo que más le hace disfrutar en cada momento.

MIMAR EL CUERPO MASCULINO

Se sienten sensualmente atraídos al ser acariciados cuando aún no se han quitado la ropa porque los lleva a dejar en libertad sus fantasías más íntimas. Pasar las manos lentamente, buscando la línea de la espalda por encima de la camisa, palpar la braqueta de su pantalón y notar cómo reacciona su pene, mientras se lo besa en los labios, y luego descender hasta mordisquear, por encima de la tela, los pezones, es sumamente erótico para ellos.

A otros les encanta que ella toque la piel cálida o erizada ante el tacto, por debajo de la ropa, demorándose en cada punto con lentitud, o que le transmita su deseo, tomando la iniciativa de desvestirlo y haciéndolo ella a su vez, para que por fin los cuerpos desnudos se entrelacen.

Si él está echado boca arriba o boca abajo, recorrer su cuerpo con las manos untadas en aceites perfumados o con una pluma. La pluma se mueve guiada por la mano describiendo la hendidura de su espina dorsal o, por delante, jugueteando en su pecho y en el ombligo, rodeando el pubis y solo rozando la punta del pene en un leve contacto como si aleteara, para dibujar luego las ingles. Lo intenso de su erección será la respuesta perfecta al estímulo.

El sentido del tacto es de «ida y vuelta». Lo disfrutan quienes son acariciados y quien prodiga las caricias. A él lo prepara para las sensaciones intensas que vendrán después que lo rocen, lo abracen, le acaricien las zonas sensibles de su cuerpo y sus manos terminen enlazadas.

31

BESAR ES UN ARTE

El beso es habitual en toda relación, desde el simple saludo hasta el que está cargado de sensualidad.

Tan presente está en la vida cotidiana y erótica que les ponemos nombre: beso «de película», «de lengua», «de tornillo», o frío y convencional.

Cuando los amantes unen sus bocas o se besan distintas partes del cuerpo, generan una calidez e intimidad inigualables.

Los besos han protagonizado tratados eróticos desde la Antigüedad; también motivaron obras eróticas y hoy siguen muy presentes en libros, fotografías o en el cine. Sin embargo, a veces se olvida el importante papel que juegan en el erotismo.

¿CÓMO LE GUSTA QUE LA BESEN?

Ser besadas tiernamente o con pasión es la antesala del disfrute. A ella le gustan los besos largos, ardientes, en los que se unen los labios y las lenguas se tocan voluptuosamente. Comenzar besando las comisuras, atrapar los labios con los suyos, rozándolos con la lengua, y demorar unos instantes el momento de introducirla en su boca. Al traspasar finalmente sus labios, se intensifica el beso recorriendo con suavidad el interior de su boca, primero con la punta de la lengua y después, sin prisas, enroscando su lengua en la de ella, pasándola por el paladar, los dientes, las encías... Lentamente, la intensidad de los besos se acrecienta y las caricias se vuelven cada vez más audaces.

¿CÓMO LE GUSTA QUE LO BESEN?

A él lo estimula que lo besen con ardor porque es, sin duda, la mejor promesa de un apasionado contacto sexual y no tarda en participar de la caricia. Un buen

Hombres y mujeres por igual se sienten sumamente excitados cuando se les besan las manos y los pies, cuidando de no provocar cosquilleos. Así, morderlos, besarlos con intensidad y, sobre todo, lamerlos, les producen deliciosas sensaciones y hacen volar las fantasías, porque semejan metáforas de sexo oral o de penetración en la vagina o el ano.

comienzo es empezar jugando a ver quién atrapa el labio del otro, rozarlos con la lengua para luego introducirla sensualmente entre ellos. Las lenguas juegan, se rozan... Sin dejar de besarlo, acaricia sus labios con un dedo que luego penetra en su boca para incitarlo.

El cambio de ritmo al besar, de tenue a profundo, en la cara, demorándose en los párpados y orejas, antes de besar todo su cuerpo, le resulta arrebatadoramente sensual.

32

MASAJE ERÓTICO

Los masajes pueden ser muy diversos; dependiendo de la forma en que se den y de la parte del cuerpo, relajan después de un día agotador cargado de tensiones y preparan a los amantes para el placer.

Al igual que otros estímulos, el masaje es muy adecuado durante los juegos preliminares al coito, y variar las técnicas con que se realiza, combinando la suavidad y la energía, proporciona deliciosas y nuevas sensaciones.

Del mismo modo, los masajes leves y tiernos son ideales después del coito para prolongar el estado de relajación y convocar el sueño.

DÓNDE LOS PREFIERE ÉL

Le encanta que le masajeen suavemente el cuero cabelludo, le resulta muy placentero mantener los ojos cerrados, atento a las sensaciones que generan las puntas de los dedos femeninos.

Luego, echado boca abajo, masajear sus piernas, desde los pies y subiendo por las pantorrillas y los muslos; cuando las manos se aproximan a los glúteos su deseo aumenta al ritmo del tacto. Amasar las nalgas, abrirlas y pasar el dorso de la mano por la línea que las parte en dos son trucos infalibles para estimularlo sin acercarse todavía a los genitales. Continuar subiendo por su espalda, recorriendo la columna vertebral, y concentrarse en el cuello y la nuca. Cuando la excitación lo indique habrá llegado el momento de convertir el masaje en una caricia sensual de sus genitales.

DÓNDE LOS PREFIERE ELLA

Recorrer sus párpados con los dedos y masajear su frente, las sienes, los lóbulos y tras las orejas, hasta finalizar en los pómulos y el mentón es un comienzo prometedor.

Una vez relajada, si se recuesta boca abajo, los toques leves con los nudillos en la nuca le crearán sensaciones inéditas, y es el momento de masajear eróticamente su espalda con las palmas, detenerse en el sacro y luego dedicarse a las nalgas. Situada de rodillas y con el amante por detrás, la espalda de ella en contacto con el torso y los genitales masculinos, marca el punto de partida para masajear sus pechos, el vientre y el monte de Venus, además de las ingles y los muslos. Llegado este momento, ella estará ya preparada para entrar de lleno en el intercambio de caricias y estímulos.

Los masajes

necesitan el tiempo, el momento y el lugar propicios para disfrutarlos. El ambiente es fundamental: luz atenuada, música, incienso, aceite o velas perfumadas son buenos aliados, así como una temperatura confortable, en torno a los 25 grados. La persona que los recibe debe tumbarse en una cama, en el suelo cubierto de cojines o en una alfombra.

33
EL COITO

El punto culminante de la unión sexual, cuando los cuerpos se funden y mantienen el contacto más íntimo posible, estando el pene dentro de ella, es el coito, y todos los juegos de excitación que lo preceden están dirigidos a que durante el mismo los amantes disfruten intensamente.

El hombre y la mujer perciben de forma distinta el coito. Para ellos es un objetivo al que dirigen todas sus energías, porque sentir su pene envuelto en la cálida y húmeda vagina les proporciona el goce más completo y los lleva al clímax. Por eso, algunos hombres se apresuran a penetrar a su pareja, guiados por la excitación, sin advertir que ella aún no está preparada.

Para ellas es diferente, porque —aunque tienen sensibilidad vaginal— su máxi-

Cuando el pene frota las paredes de la cavidad vaginal, a veces el aire que se desplaza hace ruido. Les ocurre a muchas mujeres, aunque no siempre se oye. Para no estar pendiente de eso porque puede desviar la atención del goce, si ella se siente incómoda, bastará con que lo comente, incluso de manera divertida, para que él sepa que es algo propio de la naturaleza.

mo punto de placer está en el clítoris, que debe ser estimulado mientras se produce la penetración. Cuando es así, el conducto vaginal tiene la lubricación adecuada para que la satisfacción sea plena.

Algunas mujeres, aunque estén muy excitadas, emiten un flujo vaginal escaso o no lo emiten y otras, en cambio, tienen una abundante lubricación.

Pero en todos los casos, la vagina húmeda facilita la penetración y ayuda a que los músculos vaginales se distiendan, aunque el pene sea grande y la erección muy firme.

En general, todas las mujeres, aunque su orgasmo se produzca por el roce del clítoris con el cuerpo masculino o por estimulación directa, disfrutan durante el coito por la intimidad del contacto, al sentir a su amante alojado dentro de su cuerpo, fundidos ambos en el placer.

GOZO COMPARTIDO

El coito puede adquirir diversos ritmos y cadencias, desde los más suaves y superficiales hasta los más profundos y violentos. La necesidad de que sea de una u otra forma cambia en cada relación sexual, buscando el modo de que sea más satisfactorio para ambos. Conseguir una buena comunicación y un perfecto acoplamiento de los cuerpos es una de las maneras de lograr que el ritmo del coito sea cadencioso, de modo que puedan acelerarlo o retrasarlo cuando les apetezca. La clave para conseguirlo es que ambos estén atentos no solo a su propio deseo, sino al del otro. Esta sensibilidad no se identifica con el hombre o la mujer, no es una cuestión de géneros, sino de características personales. Hay personas más bruscas y otras, en cambio, son más relajadas; algunos disfrutan con la intensidad y otros con la suavidad. Del mismo modo que los integrantes de una pareja deben acoplarse en todos los aspectos de su vida en común, en el sexo también es necesario que lo hagan sin que ninguno se sienta responsable si algo no sale bien. El sexo en pareja es cosa de dos, por lo tanto, si ella disfruta con los embates segui-

Presionar con dos o tres dedos la base del pene para retrasar la descarga seminal se llama «coito sajón». Cada hombre descubrirá cuánta fuerza debe emplear y en qué lugar hacerlo para no sentir dolor. Esta técnica fue utilizada hace años como anticonceptivo natural, pero hoy solo se emplea para prolongar el momento eyaculatorio.

dos e intensos y él prefiere que sean lentos y cadenciosos, existe la posibilidad de que ella controle su ímpetu en los primeros momentos del coito y, cuando estén cerca del orgasmo, se deje llevar y acelere el ritmo.

34

CALIDAD VERSUS CANTIDAD

Cuando se realizan encuestas entre la población adulta de cualquier edad sobre la frecuencia con que mantienen relaciones sexuales, la mayoría responde con exageraciones notables. La razón es que hay grandes mitos acerca de que «cuanto más, mejor»: más potencia, más virilidad, más veces, según sean ellos o ellas los interpelados. Otro mito muy difundido es el tiempo que deben durar las sesiones de sexo entre amantes.

Sin embargo, ¿no es más importante la calidad que la cantidad o la duración de las relaciones eróticas?

La plenitud no tiene necesariamente que ver con cifras contadas en veces a la semana o en minutos de coito, sino con alcanzar los más altos niveles de excita-

biológico de cada miembro de una pareja no coincide y uno desea más contactos eróticos y el otro menos, lo mejor es hablarlo abiertamente y hallar una frecuencia intermedia que los satisfaga a ambos.

ción y satisfacción, así como que el clímax se perciba en cada relación sexual como el más gozoso.

Lo cierto es que no hay reglas de «normalidad» ni metas a superar en cuanto a frecuencia o tiempos de duración de una relación sexual, ninguno es igual al otro, porque cada circunstancia, estado de ánimo, pareja y persona son singulares y distintos.

35

PARA DISFRUTAR
DE LAS POSTURAS SEXUALES

La variedad sexual es un gran estimulante erótico. Cambiar las diversas posturas del coito introduce gratas sorpresas, impidiendo que se caiga en conductas rutinarias o monótonas que anulan la libido.

Dejar volar la imaginación o representar alguna posición vista en una película o un libro incentiva la pasión. Pero siempre evitando caer en atletismos y acrobacias, que pueden resultar más incómodos que placenteros o dañar alguna parte del cuerpo.

Iniciar el coito de una manera y después variar, si no se tiene la resistencia suficiente para mantenerla, es una conducta sabia y válida porque el cambio genera diversidad de sensaciones.

Asimismo, las posturas que permiten una penetración profunda del pene den-

No solo variar de postura para practicar el coito es excitante, también cambiar de escenario lo es. Además de la cama, se puede probar la alfombra del salón, una mecedora, la arena de una playa desierta o la hierba del campo; especialmente incitante es hacer el amor bajo la ducha o en una bañera llena de espuma burbujeante y perfumada.

tro de la vagina son las preferidas de ellos, al igual que las más placenteras para ellas son las que permiten que su clítoris sea rozado, una y otra vez, para desencadenar el orgasmo. Teniendo siempre presente que en el sexo nada debe ser impuesto u obligatorio.

36

POSTURAS DURANTE EL COITO

FUSIÓN ÍNTIMA

Ella lo recibe desde atrás, situada de
rodillas y apoya-
da en las pal-
mas. Él se arro-
dilla y su deseo
crece al contem-
plar el cuerpo de
la amante hasta que
finalmente la pene-
tra. Acaricia apasiona-
damente su espalda y
luego lleva una mano
al pubis para iniciar
una sensual caricia,
mientras mueve
las caderas,

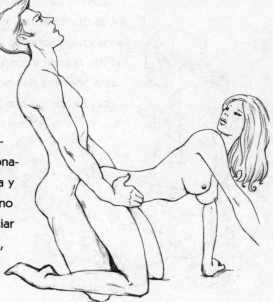

variando los roces del pene en la vagina.

A él lo satisface mucho esta posición porque puede penetrarla profundamente. Para ella, es especialmente excitante por el estímulo en el clítoris. Es una postura ideal para personas con grandes diferencias de altura y peso.

PASIÓN INTENSA

Echada de espaldas, con la vulva húmeda por el deseo, ella eleva las piernas y las apoya sobre los muslos de él para facilitar la penetración. Es muy adecuada para hombres que tienen un pene grande, ya que en esta posición fácilmente pueden controlar el grado de penetración. Asimismo,

es muy placentera para ambos, ella disfruta con las caricias en el clítoris y él con los movimientos leves de las nalgas femeninas contra el falo. La postura puede ir variando durante el coito si ella cambia la posición de sus piernas, apresando el cuerpo masculino o rozando voluptuosamente su cuerpo.

ARDIENTE CADENCIA

Él está recostado y con las piernas flexionadas; ella se acu-
clilla por encima y
se apoya
en los
brazos
mas-
culinos.
La mujer
domina la
situación
marcando
el ritmo y
controlando el
grado de

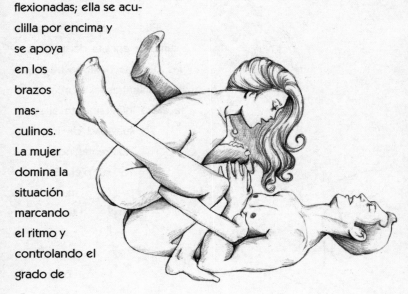

penetración, alejando o acercando la vulva para que el pene quede totalmente encerrado dentro de la vagina; por momentos, frota su clítoris contra el pubis de él, lo que le proporciona un goce intenso. Los amantes tienen que ser muy flexibles para mantener la posición, o variarla si ella se cansa por tener que elevar constantemente las caderas para mantener la cadencia.

DANZA SENSUAL

Ella se sienta voluptuosamente encima del pene con las piernas flexionadas hacia atrás mientras el morbo de él se eleva infinitamente al sentir la suavidad de los muslos femeninos contra su piel. Esta forma del coito es muy placentera para ambos, porque la penetración es profunda y tienen libertad para acariciarse y erotizarse mutuamente. El roce vaginal es fuerte pero la presión sobre el clítoris muy leve, por lo que él o ella pueden añadir estímulos excitando el clítoris con sus manos.

PLACER SIN LÍMITES

Tumbada, ella eleva una pierna y la pasa por encima del cuerpo del hombre y se abre al máximo para que pueda penetrarla de lado; así, el clítoris está al alcance de las manos de ambos para ser excitado. Las variantes de esta posición son múltiples, basta con que ella haga leves movimientos de piernas. Además, pueden intercambiar apasionados besos y acariciarse mutua-

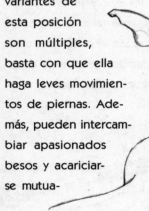

mente. Otro aliciente es que las nalgas femeninas rozan sensualmente el pene. Es una postura muy cómoda para amantes de diferentes alturas.

DÚO CANDENTE

Juntos componen una figura semejante a una tijera, ella puede acariciar con los pechos las piernas del hombre y él estimular el perineo y el ano de la amante o tocar sus nalgas, deleitándose con el paisaje de su cuerpo de espaldas. Esta imaginativa postura rompe con las rutinarias posiciones habituales y les ofrece un gran disfrute a ambos porque la raíz del pene y la pelvis masculina rozan el botón del clítoris con los movimientos del coito y frotan con vigor las paredes de la vagina.

GOCE EXPLOSIVO

Cara a cara y de pie, él le toma una pierna para alzarla y que el pene se deslice en el cálido conducto de la vagina, primero con suavidad y después con movimientos enérgicos, que al entrar y salir rozan el clítoris excitándola hasta el infinito. Así pueden besarse, entrelazar sus lenguas, lamerse el cuello y ella erotizarse los pezones contra el torso masculino.

Si el hombre es de mayor altura, esta posición le fascina, porque puede doblar sus rodillas y hallar el mejor ángulo de penetración.

VAIVÉN ERÓTICO

Los dos están sentados y frente a frente, tienen las piernas entrecruzadas, atrayéndose mutuamente hacia sus cuerpos con los brazos mientras las pelvis están unidas por la penetración. Si el pene es largo, aunque no consiga alcanzar la máxima profundidad del conducto vaginal, igualmente esta postura le produce a él un placer inmenso, al igual que ella goza con sus roces en la vulva y el clítoris, porque los movimientos son leves pero sin interrupción hasta que ambos escalan la cima del orgasmo.

ESTRECHO ABRAZO

Esta postura le ofrece a él un gran disfrute. Está de pie y la sostiene tomándola por las nalgas o los muslos y puede elevarla hasta situarla a la altura exacta en que sus pelvis queden perfectamente acopladas para penetrarla profundamente. El hombre controla así los movimientos de su cintura y sus caderas, frotando el interior del canal vaginal con mayor o menor intensidad. Ella debe tener un cuerpo ligero y flexible, además de piernas fuertes para abrazar el cuerpo masculino y no cansarse demasiado.

INCITANTE ARCO

El cuerpo femenino echado forma un arco, apoyándose en los hombros y los pies. Eleva más las caderas para que el pene halle el camino de la vagina y frote plenamente su clítoris. Él tiene libres los brazos para estimularle los pechos, el vientre y el monte de Venus a placer. El goce masculino crece al verla disfrutar mientras la penetra profundamente. Si ella mueve cadenciosamente las caderas marca el ritmo que desea, pero también él puede hacerlo por momentos, moviéndose dentro y fuera sin cesar.

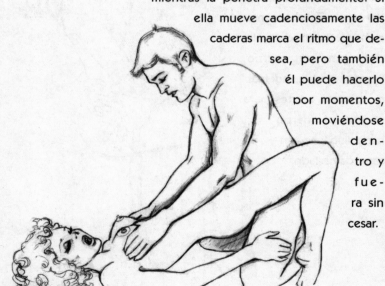

37

UN DÍA CLAVE

La primera vez que van a mantenerse relaciones sexuales se generan grandes expectativas en ambos sexos.

Sin embargo, tanto por motivos físicos y psicológicos, así como de educación y entorno social, los sentimientos de los chicos son distintos a los de las chicas.

Él llega a ese momento cargado de ansiedad, con una alta dosis de deseo, queriendo gustar y, además, satisfacer a su pareja.

En cuanto a ella, ha oído hablar mucho del tema: dolor, sangrado abundante y otros muchos motivos que le generan estrés, aunque también siente una gran expectativa.

Pero lo real es que ambos, en esa importante ocasión, son inexpertos en materia sexual; por eso es fundamental que vayan con cuidado y ternura, y con la máxima espontaneidad posible.

También es preciso que tomen precauciones para evitar embarazos no deseados, y pese a que aún son muchas las personas convencidas de que es imposible que eso ocurra la «primera vez», esta idea es completamente errónea. La práctica del sexo seguro es algo que debe tenerse en cuenta desde el inicio de las relaciones; incluso aunque no se eyacule en el interior, porque las gotitas de líquido preseminal que expulsa el pene con la excitación contienen espermatozoides.

¿QUÉ LE PASA A ELLA?

Siente temor y muchas sensaciones contradictorias: ¿le gustará a él su cuerpo?, ¿sabrá qué debe hacer en cada momento?, ¿perderá mucha sangre?, ¿cómo será el orgasmo? Todo ello hace que, en lugar de relajar los músculos de la pelvis, los mantenga rígidos; y en ese estado duele la penetración.

Por eso es conveniente utilizar un lubricante apropiado, que hará que el pene se deslice más suavemente en el interior de la vagina.

Muchas mujeres no sangran la primera vez y eso es absolutamente natural. La delgada membrana que cierra la entrada vaginal, el himen, solo está parcialmente cerrada; si no tuviera una apertura mínima no pasaría el flujo menstrual.

Por otra parte, hay niñas o adolescentes a las que se les desgarra el himen sin tener relaciones sexuales: basta con un ejercicio brusco para ello.

Además, su tejido es tan elástico que puede no romperse por completo con la primera penetración, sino paulatinamente, después de varias. Incluso algunas mujeres tienen un himen tan elástico que nunca se rompe, sino que se estira; de modo que no sangran en el primer coito y apenas notan un ligero ardor al ser penetradas por vez primera. La mayoría sangra levemente, unas pocas gotas.

Muchas mujeres no sangran la primera vez y eso es absolutamente natural.

¿Y A ÉL QUÉ LE OCURRE?

Los chicos están educados para «dar la talla», cada uno tiene en su cabeza la idea de que debe ser el mejor amante desde el primer momento y otras fábulas culturales; pero, a la hora de la verdad, los nervios y la ansiedad por cumplir con lo que suponen se espera de ellos son sus peores enemigos y esa primera vez, por más que estén excitados al máximo, puede que no consigan una buena erección, que la pierdan justo en el momento de la penetración o que eyaculen en ese mismo instante.

LA EXPERIENCIA MÁS GRATA

En lugar de tener grandes expectativas y darse prisa en consumar el coito cuanto antes, lo mejor es tomarse las cosas con calma y disfrutar de todos los pasos, uno a uno, los mimos, caricias, besos, juegos previos, sin apresurarse a la penetración y el orgasmo.

Porque es con la práctica, con el conocimiento sexual que se adquiere del otro a medida que pasa el tiempo y se repiten los encuentros eróticos, como se llega a alcanzar un disfrute pleno.

El método más seguro de protección anticonceptiva y prevención de contagio de enfermedades de transmisión sexual es el preservativo, y conviene usarlo desde la primera vez.

38

PLACER A SOLAS

Las personas descubren sus genitales en la infancia y eso es como un imán: su naturaleza las impulsa a conocerlos y pronto notan que su contacto es muy gratificante. Pero es en la adolescencia, cuando el cuerpo se revoluciona y la sexualidad despierta impetuosa, cuando comienzan a buscarlos deliberadamente para gozar masturbándose: se acarician o frotan, situándose en mil posiciones distintas, hasta satisfacer el deseo erótico y alcanzar el orgasmo. Pero la masturbación no se limita a esta edad; autoestimularse intensifica el ardor sensual durante los juegos preliminares al coito, e incluso es un aliado decisivo durante las relaciones sexuales, para acrecentar las sensaciones, durante la vida entera.

CÓMO SE ESTIMULAN ELLAS

Las mujeres, como en tantos otros aspectos, han vivido la represión en materia sexual y el simple gesto de una niña llevando la mano hacia su vulva, en muchos ambientes se ha castigado con dureza. Esto la ha llevado a tener sentimientos de vergüenza o culpa y prejuicios tales como considerar a sus genitales una parte «sucia» de su cuerpo.

Sin embargo, la masturbación es fuente de placer y autoconocimiento, una práctica muy saludable, y supone una verdadera iniciación para, más tarde, disfrutar mucho más del sexo compartido.

Hay múltiples maneras de mimarse las zonas erógenas, que cada mujer aprende a conocer al estimularse; la frecuencia de masturbación es variable de una a otra y depende de que algo en particular eleve su morbo, de su estado de ánimo y de su capacidad de fantasía. Incluso en ocasiones, muchas mujeres se masturban después de un día complicado para relajarse y gratificarse.

Algunas mujeres se autoestimulan mirándose al espejo, porque su propia imagen gozando las incita; sus gemidos de placer cuando frotan el clítoris, mientras acarician sus pechos o rozan el ano, también suelen ser un acicate.

Mojar los dedos en los fluidos vaginales, recorrer así la vulva retardando el contacto con el clítoris que parece ir en busca del roce exacto que lo haga vibrar, o masturbarse bajo el agua de la ducha, son algunas de las formas de disfrutar y con las que se alcanza el orgasmo. Y a estas pueden sumarse otras: tantas como ella sea capaz de crear, en función de lo que más disfrute le brinde.

CÓMO SE ESTIMULAN ELLOS

Ningún hombre es igual a otro en su forma de buscar el placer cuando se autoestimula. Él aprende cómo hacerlo para extraer el mayor goce de las caricias que prodiga a su cuerpo para alcanzar la excitación y desbordarse en el clímax.

Se deja llevar por imágenes eróticas mientras se masturba, imaginando que su mano apresando el pene, jugando con el prepucio a descubrir y cubrir el glande, en realidad no es la suya sino la de una amante imaginaria. A veces ni siquiera roza la sensible punta de su pene, haciendo un anillo que lo apresa con el pulgar y el índice para frotar el tronco y deteniéndose en la corona, para volver a la raíz incansablemente. Otras, humedece su mano con un lubricante y la sensación placentera cambia por completo; si lo hace en seco, el placer es distinto: firme y recio; cambia de mano por la que no tiene tanta destreza táctil para prolongar la excitación y retardar la eyaculación. Y sigue probando para saber qué le ofrece mayor goce: rozarse suave y lentamente o frotar con intensidad; recorrer el perineo con sus dedos, acariciando el escroto, mientras percibe que se aproximan los escalofríos de un intenso disfrute.

El placer masturbatorio no sigue reglas, sino que los juegos dependen de la inventiva de cada cuál. La constante innovación, la libertad para experimentar es lo único que se necesita para hallar las maneras más excitantes del goce.

La masturbación es algo tan sano como natural y no tiene contraindicaciones; por eso hay que desechar ideas negativas del pasado. Solo resulta problemática si se convierte en una obsesión que impide gozar de otra manera.

39

MASTURBARSE EN PAREJA

Si la masturbación es una fuente de conocimiento del placer que puede dar el propio cuerpo, compartirla es una experiencia aún más sugerente.

Los estímulos en las zonas erógenas son una parte esencial en los juegos preliminares de muchas parejas, tanto para excitarse hasta el máximo antes del coito como para alcanzar un punto, detenerse y luego recomenzar, elevando más el umbral del disfrute previo a la penetración.

La vista es un sentido muy incitante, sobre todo en el hombre, aunque ella no es ajena al goce si lo ve autoestimularse: ¿lo hace tierna o rudamente?, ¿se detiene en el glande o frota el tronco?, ¿qué mano usa para prolongar o acelerar el placer? Esto, además, le enseña a la mujer cómo hacerlo gozar cuando lo masturbe.

En cuanto a ellos, ver a la amante autoerotizarse los motiva tanto que incluso algunos alcanzan tal grado de excitación que los lleva a participar, sumando sus propios estímulos.

Mientras ella recorre la vulva con uno o varios dedos humedecidos en su propia saliva, deleitándose en el clítoris, él puede lamerle los pechos o, como si de un juego de espejos se tratara, imitarla acariciándose de igual manera la punta del pene.

También pueden situarse él delante y ella detrás y, mientras la mujer se masturba, pasar la mano por delante del cuerpo masculino para encerrar el miembro y recorrerlo sugestivamente, a la vez que él lleva sus brazos atrás y le acaricia las nalgas. Después pueden intercambiar la postura, mimando él los pechos de la amante y frotando ella sus glúteos contra el pene. El roce del miembro entre los muslos, los senos o las nalgas, es muy placentero para ambos.

LIBERARSE Y FANTASEAR

Algunas mujeres sienten vergüenza o reparo de masturbarse delante del compañero sexual, pero a medida que venzan esas sensaciones y ganen en placer, pronto se lanzarán a jugar.

Pueden comunicarse el uno al otro lo que sienten; crear un guión y protagonizarlo o sentir que están junto a su secreto objeto de deseo: una actriz sensual, un político atractivo o algún antiguo compañero de instituto con quien nunca se llegó a disfrutar por falta de oportunidad o timidez.

Durante la masturbación compartida, muchas veces se traspasan fronteras, porque la confianza que alcanzan hace desaparecer las inhibiciones.

El agua

acrecienta las sensaciones al masturbarse juntos. Hacerlo bajo la ducha, en la bañera o en una piscina es una experiencia muy especial. Los amantes pueden mirarse a los ojos, frotar sus cuerpos húmedos o dejarse acariciar mientras disfrutan, por el sensitivo estímulo que transmiten los chorros del agua a diversa intensidad o las acariciantes burbujas de un jacuzzi.

40

POSTURAS DURANTE LA MASTURBACIÓN

FASCINANTE CEREMONIA

Arrodillados frente a frente se estimulan a placer, totalmente libres de inhibiciones. Así aprenden a conocer las caricias que más placer les ofrecen; cómo les gusta ser erotizados; son a la vez actores y espectadores de una escena sensual. Ella, mimándose el clítoris, contempla cómo su pareja se excita y él frota su pene, impulsado por el deseo que le despierta la mirada femenina. La intensa intimidad que genera la masturbación a dúo va acrecentando la complicidad entre el hombre y la mujer.

VOLUPTUOSO EMBELESO

Las piernas flexionadas y abiertas le permiten llegar hasta el cálido conducto por vía de la vulva, a la que su mano se acercará, en busca del clítoris, para erotizarlo con dedos ágiles y sabios, humedeciéndolos antes con los fluidos de su vagina para poder deslizarlos sensualmente. A ella le encanta su cuerpo, que tanto placer le depara, y, mientras fantasea, suma

morbo acariciándose otras zonas sensibles como sus pechos y pezones. El orgasmo estalla imparable, estremeciendo hasta el último rincón de su piel.

ESTRECHO CONTACTO

Situado a su espalda, ella sujeta su cuello llevando un brazo atrás mientras con el otro guía una de las manos masculinas hasta su vulva para que la masturbe como él bien sabe que le gusta. La otra mano del hombre pasea por el cuerpo femenino, demorándose en el ombligo y pellizcando sus pezones. Él no es ajeno al juego; mientras la oye jadear de placer, frota su pene erecto suavemente contra las nalgas de ella, moviéndose lenta o aceleradamente, al ritmo volcánico del ardor de la amante.

JUEGO PASIONAL

Con las piernas abiertas él deja ver su palpitante erección; ella se monta sobre uno de los muslos masculinos para que la humedad de su vulva le comunique la intensidad de su propia excitación. Luego, toma con una mano, formando un conducto similar a la vagina, el tronco del pene, que frotará arriba y abajo, más suave o más fuerte, atendiendo al ritmo que a él más lo haga gozar. A la vez, mima amorosamente la sensible piel de su escroto hasta sentir en su mano el tibio fluido del amante al llegar al clímax.

SEDUCTORA QUIMERA

A solas, pensando en la amante o dejando volar su imaginación hacia escenas que elevan su morbo infinitamente, usa ambos manos para autoestimularse. Una va desde la raíz del pene y fricciona el tronco con movimientos rítmicos; y la otra se desliza suave sobre el glande con roces circulares, juguetea con el frenillo y termina encerrando el miembro. Pero aún no quiere abandonarse al orgasmo; cambia la posición de las manos para demorarse en el goce hasta que ya no puede controlarse y se deja ir.

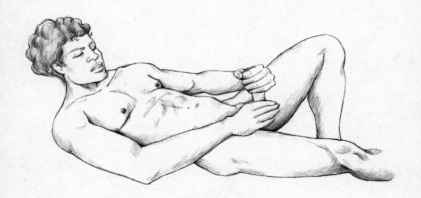

41

JUGUETES ERÓTICOS PARA ELLA

Actualmente las mujeres pueden enriquecer su sexualidad a solas o con su pareja incorporando juguetes eróticos, de los que es posible encontrar una muy variada oferta. Hay modelos de diseños sofisticados que incluyen texturas diversas al tacto, acabados de formas distintas que estimulan las sensaciones e incluso creaciones de origen oriental que acrecientan las percepciones sensoriales.

DILDOS

Los más difundidos son los vaginales; algunos reproducen con mayor o menor realismo el falo: desde la piel hasta la redondez del glande o el relieve de las venas. En cambio, otros son diseños cilíndricos con una estética que en nada se parece al pene humano y en colores muy vivos. Suelen tener un mecanismo vibrador con un mando que gradúa la intensidad; los materiales más utilizados son la silicona o el *jelly*, que además tienen la ventaja de absorber la temperatura del cuerpo al contacto con la piel.

Algunos dildos están diseñados para la penetración anal tanto de hombres como de mujeres; su diámetro y longitud se adaptan a este conducto y no acaban en forma de glande, para poder introducirlos fácilmente sin provocar molestias.

Inspiradas en juguetes eróticos orientales, las bolas chinas son dos esferas con un diámetro que va desde el medio hasta los casi tres centímetros, ensartadas en un hilo o cordón; se introducen en la vagina para excitarla y hay modelos con efecto vibrátil.

Igual origen tienen las perlas tailandesas —enhebradas en un cordón, con un número variable de entre tres y cinco, aunque pueden llegar a ser diez—; son pequeñas y de diverso colorido; en este

Las distintas bolas están hechas con metal, látex o madera, su textura puede ser lisa o rugosa al tacto y la última versión conocida de este complemento sensual es una hilera de diez bolas de *jelly* flexible, que pueden disfrutarse a solas o junto al amante porque estimulan las sensaciones anales de ambos.

caso se introducen una a una en el ano, ayudando a dilatarlo y excitando a la mujer cuando se mueve.

EL GOCE MÁS VIBRANTE

De menor tamaño, los vibradores se utilizan, por regla general, para estimular el clítoris. Pero también generan sensaciones de placer en otras zonas, como la vulva, el perineo y el ano, incluso en los pechos o puntos erógenos que ella reconoce en su cuerpo.

A partir de que las mujeres han descubierto el placer, la industria de los juguetes eróticos ha ideado infinidad de modelos, texturas y colores para este punto tan orgásmico, como vibradores no mayores que un lápiz labial o con forma de pequeños animales: conejitos, patitos, mariposas, pingüinos; también hay lenguas vibradoras de *jelly* capaces de realizar cunnilingus inolvidables.

Si los juguetes eróticos se cubren con condones previenen posibles contagios de enfermedades de transmisión sexual o infecciones. Una vez usados, deben lavarse cuidadosamente y guardarse bien protegidos. Para no forzar la introducción de dildos en la vagina y el ano, lo que podría causar lesiones, hay lubricantes especialmente creados para facilitar su penetración.

42

JUGUETES ERÓTICOS PARA ÉL

Durante años las técnicas masturbatorias masculinas estaban agrupadas en función de las diferentes formas de colocar las manos sobre el pene: cómo estimularlo, dónde, con qué intensidad. Técnicas válidas tanto para las prácticas en solitario como en pareja.

Hoy cuentan además con los juguetes eróticos: una innovación que multiplica el disfrute y acerca mucho más las percepciones a lo que sería un coito real.

ALIADOS DEL AUTOEROTISMO

En el mercado pueden hallarse vaginas elaboradas en silicona, con los labios de la vulva delineados y el orificio vaginal comprimido pero flexible para poder penetrarlo. Su interior está texturizado para que durante el movimiento reiterado de entrada y salida del pene la estimulación aumente con el roce.

De las mismas características y materiales hay simuladores de anos, de formas cilíndricas y algo más grandes que un pene, de manera que él puede sostenerlos en sus manos durante la penetración masturbatoria.

Los modelos más completos e imaginativos ofrecen vulvas con clítoris y ano, hechos de silicona, cuyo tacto y temperatura recuerdan la piel.

Con una textura y una forma que les da un aspecto real, hay torsos con pechos femeninos en relieve, tan cálidos y naturales en su textura que recuerdan a los de verdad. Suelen ser grandes para poder colocar el pene entre ellos y masturbarse con un movimiento de arriba hacia abajo por el canalillo.

Hay un juguete estrella en el universo erótico, preferido por muchos hombres para masturbarse: tiene forma de huevo y es de un material ultrasuave y gelatinoso de gran flexibilidad, para adaptarse a cualquier forma y tamaño de pene. Para multiplicar los estímulos en su interior combina texturas: protuberancias, acanalado y tela de araña.

ANILLOS VIBRADORES

Entre los juguetes eróticos más utilizados en pareja están los anillos de silicona o gelatina, de los que hay una amplia gama de modelos, que se colocan en torno a la base del pene: irregulares, con pinchos, serruchos o pequeñas bolas blandas, provocan diversas y estimulantes sensaciones que excitan el clítoris y el perineo femenino, extendiendo sus efectos hacia el tronco del pene. Tienen un dispositivo vibrátil que es posible encender o apagar fácilmente a voluntad; funcionan con una batería no recargable. Sus ondas suaves y continuas, con la combinación de los movimientos del coito, proporcionan un placer adicional sorprendente y aumentan la comunicación erótica.

43

PLACER ORAL

A partir de 1960 se desató una verdadera revolución sexual en los Estados Unidos, Europa y algunos países de América Latina, acabando con viejos tabúes y represiones que aprisionaban el pensamiento y la actitud ante el sexo de gran número de personas. Entre otros cambios, este proceso social e individual tuvo como consecuencia la pérdida de inhibiciones en relación al sexo oral.

Desde entonces hasta la actualidad cada vez son más los amantes que disfrutan de este extremo placer que muchos hombres y mujeres consideran que está incluso por encima del coito con penetración, porque alcanzan de este modo orgasmos más intensos.

La llamada *felatio* o felación, que es la-

mer, sorber y chupar el pene, y el cunnilingus: excitar del mismo modo los genitales femeninos, son prácticas plenas de
sensualidad, capaces de desencadenar un
torrente de sensaciones que está presente en las fantasías de todos por igual.

No solo es un modo de dar placer,
sino también de recibirlo al mismo tiempo
que se está ofreciendo.

HOMENAJEARLA A ELLA

Cuando a una mujer su amante la excita de manera oral disfrutará sobremanera, y asimismo él también gozará al verla y
sentir su intensa respuesta erótica.

Si ella participa acariciando su cabeza,
guiándolo allí donde quiere sentir sus caricias, expresando con su cuerpo al elevar el pubis para fundirse con el amante,
y emitiendo los sonidos o las palabras que
le dicte el gozo, él se sentirá incitado y su
deseo crecerá a la par que el de ella.

Esto actúa como un acicate para el
hombre, que desplegará todas sus artes
amatorias para besar y lamer de mil ma-

neras y en aquellos puntos que va descubriendo que son altamente estimulantes para ella.

Esta zona erógena es muy sensible al tacto y, especialmente, a la caricia de los labios y la lengua. Él nota cómo se estremece ella ante la proximidad de lo que va a ocurrir, pero puede demorar el placer de su amante jugueteando con sus dedos en el pubis, recorriéndolo con leves roces y saboreando la vulva.

Algunas mujeres prefieren en cualquier ceremonia sexual que la luz esté apagada o que la iluminación ambiente sea muy difusa, sobre todo cuando se trata de una relación reciente. Pero disfrutar del sexo oral a plena luz a él le encanta, porque disfruta viendo ese rincón, oculto habitualmente entre sus muslos, y el botón clitórico asomado y esperando anhelante su contacto, así como el orificio vaginal flanqueado por los labios menores, húmedo y abierto a la caricia.

Si entre los amantes hay una buena comunicación es posible que él pregunte dónde es más placentero el estímulo

Si ella participa acariciando su cabeza, guiándolo allí donde quiere sentir sus caricias, expresando con su cuerpo al elevar el pubis para fundirse con el amante, y emitiendo los sonidos o las palabras que le dicte el placer, él se sentirá incitado y su deseo crecerá a la par que el de ella.

y cómo: ¿más fuerte, más suave? Con la punta de la lengua golpeteando, como si se tratara de un diálogo de la carne trémula con la punta del clítoris, o lamiendo como si pasara un pincel.

EL SENDERO MÁGICO

En cada mujer, y a veces en cada encuentro sexual, hay que trazar un derrotero irrepetible que la lengua, ese músculo sensible, descubrirá de acuerdo a su propia percepción y a la guía que ofrece ella con su deseo y su creciente excitación.

La imaginación del amante juega un papel muy especial al crear nuevos estímulos cuando al tocar con los labios y la lengua ciertos puntos nota la erección, el temblor con el que responde el placer, la vibración de la piel sensitiva. Esa es la caricia a repetir: el golpeteo, el roce, las lamidas arriba y abajo, de lado, el cambio de ritmo que sorprende y aporta un ardor renovado, el leve soplido sobre la vulva húmeda que produce un escalofrío cosquilleante.

Es importante no insistir en el mismo estímulo si se percibe que ella se retrae o que la misma caricia que mil veces la ha incitado ya no le provoca respuesta.

En esos casos, hay que detenerse y darle un respiro, besarla en los labios y que ella perciba su propio sabor, que la excitará, y luego volver lentamente iniciando el estímulo en otro punto: el anillo anal, el perineo, los labios menores, hasta que ella misma acerque el clítoris a su boca en busca del contacto directo otra vez.

También puede intentar otros juegos como frotar con su nariz, mordisquear muy suavemente, besar con los labios juntos, antes de volver al punto álgido.

Durante el estímulo lingual de su amante, algunas mujeres sienten un extremo placer cuando él juguetea a la entrada de su vagina como si fuera a penetrarla con su lengua tensa, e igual les ocurre si lo hace a la entrada del ano; mientras que otras gozan más cuando la caricia es prodigada de lleno en el clítoris y son los dedos los que suman placer en otras

El clítoris en ocasiones se retrae y oculta dentro de su capucha protectora y eso es indicio de que algo puede haber molestado. Si eso ocurre, él tiene que suavizar el estímulo, hacerlo emerger nuevamente acariciando los lados y retomar la caricia de otro modo, hasta volver a encontrar la respuesta en su erección y llevarla al límite del disfrute.

zonas de la vulva, el perineo o la vagina. Complementar el cunnilingus con un dedo penetrando suavemente en el ano, que al estar ella extasiada en su disfrute se relaja y dilata, así como sumar la estimulación de los pezones, generalmente la conduce hasta un orgasmo de gran intensidad.

HOMENAJEARLO A ÉL

Sentir la calidez y la humedad de la boca de ella, encerrando su pene tenso por la erección, es para muchos hombres sinónimo de placer extremo. Ellos fantasean con ser lamidos y sorbidos por la amante que les practica una felación.

Pero es la sensibilidad femenina la que puede convertir esta práctica en una obra maestra y no limitarse a chupar metódicamente el falo hasta que él esté a punto de eyacular.

Si en cualquier tipo de intercambio sexual la lentitud y la caricia sabiamente dosificada resultan muy estimulantes, en el caso del sexo oral es la manera más excitante de elevar el anhelo.

Cuando se desea intensificar el disfrute debe tomarse suavemente el pene con las manos, rodearlo y llevarlo a los labios y luego al interior de la boca lentamente, lamiendo los lados, jugando con la punta de la lengua en el orificio de la uretra en el centro del glande, de modo pausado y suave, sin exigir una respuesta rápida. Si esta se produce y la erección es evidente, es el momento de acelerar el ritmo y llevarlo hasta el clímax o, cuando por sus gemidos ella note que está a punto de eyacular, recrear la caricia con una cadencia redoblada hasta que alcance el orgasmo.

OTRO PUNTO DE PARTIDA

Iniciar el sexo oral por la zona más alejada del punto erógeno del pene suele ser un buen comienzo.

Besar y lamer suavemente los testículos y sentir que crecen y se endurecen dentro de la bolsa testicular, notando cómo se eriza la piel con este contacto, erotiza sobremanera a muchos hombres. Para ella es un indicio y puede ir lamiendo desde allí

Aunque la mayoría de las mujeres disfrutan excitando a su amante con una felación, en cambio algunas prefieren que él no eyacule en su boca. Sin embargo, es tan excitante para él que esto ocurra como si ella, en el momento culminante, lleva el pene hasta situarlo entre sus pechos u oprime su cuerpo contra él para que persista el calor del contacto.

hasta la raíz del pene y volver una y otra vez, hasta que él ansíe el contacto directo con el pene.

Entonces es el momento de dedicarse de lleno a lo que él desea: lamer de manera recta o zigzagueando todo el tronco por arriba y por debajo, mientras sostiene el falo con la mano y chupa con fruición y largamente el glande, combinándolo con ligeros movimientos de rotación.

Simular que la boca es una vagina y llevar el pene hacia adentro y hacia afuera, como si se estuviera produciendo una penetración durante el coito, es otro juego intensamente estimulante y si, con mucho cuidado, se rozan ciertas partes del miembro con la base de los dientes, muy suavemente, genera sensaciones de un inefable placer en algunos hombres, mientras que otros lo rechazan.

Todo su cuerpo estará recibiendo las vibraciones erógenas que transmite el sensitivo tejido de su pene, y ella lo percibirá por los latidos de la sangre que corre por su interior en una imparable carrera hacia la cumbre del disfrute.

Una vez que él ha llegado a un punto alto de excitación y ella desea que se prolongue para retrasar el clímax, puede dejar libre el miembro y retroceder, lamiendo suavemente hasta el final del perineo e internándose en la zona que se esconde entre las nalgas, pasear su lengua lentamente y, al llegar al ano, dibujar el perímetro del anillo anal y lamer gradualmente la zona. Estas caricias también puede hacerlas a la vez que mantiene el pene en su mano, abarcando el tronco en su palma.

A algunas mujeres les provoca arcadas la felación y es importante descubrir si lo que las provoca es de origen psicológico, por ejemplo, que en realidad a ella le desagrada pero lo hace para agradarlo a él o que simplemente no le gusta hacerlo. Si la respuesta es afirmativa, no se debe seguir adelante, nadie tiene que forzarse a hacer algo que no quiera.

En cambio, si se hace por placer, lo mejor es evitar que el pene entre totalmente dentro de la boca porque en muchas ocasiones suele provocar arcadas; hacerlo solo en parte y concentrarse en el glande lo hará

El placer de una felación se intensifica cuanto mayor es el calor que él percibe en la boca que envuelve su pene. Ella puede elevar su temperatura oral si antes de comenzar a lamerlo bebe un líquido bien caliente. Asimismo, para provocar un estímulo distinto, puede beber algo muy frío y provocarle un inquietante cosquilleo.

disfrutar sin que la amante sienta molestia alguna. Se trata de que ambos lo pasen bien, sin ninguna incomodidad o malestar.

LA CIFRA MÁGICA

Esta popular manera de llamar al sexo oral compartido y al unísono tiene tantos seguidores como personas que la rechazan.

Hay quienes opinan que es una antesala perfecta antes del coito, precisamente por sus posibilidades de brindarse el mismo y mutuo placer.

Sin embargo, otros prefieren ser estimulados y gozar individualmente, sintiéndose protagonistas absolutos, y percibir toda la atención de su amante concentrada en hacerlos gozar al máximo.

También ocurre que a veces la postura de los cuerpos al practicar el 69 hace sentir incomodidad, ya sea por la diferencia de alturas, donde no siempre coincide la pelvis de uno con la boca del otro, porque pierden el ritmo cuando se dejan ir por su propio placer o dejan de sentirlo, al atender al de la pareja. Incluso algunas mujeres sienten temor de lastimar el pene con sus dientes si están muy excitadas.

Todo es válido, porque en el sexo no hay ninguna regla preestablecida, sino que son los amantes con su experiencia quienes deben decidir cómo desean darse placer mutuamente de la manera más creativa e intensa posible.

CONFLICTOS Y REPAROS

Aunque hoy se esté socialmente muy lejos de ciertos tabúes y prejuicios que condenaban la práctica del sexo oral, aún subsisten algunos conflictos y reparos.

Por regla general, se trata de ideas incorrectas inculcadas por una educación social restrictiva que asocia los genitales a zonas poco higiénicas.

Hay personas que, sin haberlo practicado, afirman que el aroma y el sabor del sexo son desagradables, llegando a sentir náuseas ante la sola idea de contacto oral con los genitales de su pareja. Afortunadamente, la pasión se suele imponer a estos prejuicios.

Es conveniente recordar que ciertas enfermedades de transmisión sexual se contagian por vía oral. Es el caso del herpes o de ciertas micosis, entre otras; de modo que debe extremarse la precaución y no practicar ni la felación ni el cunnilingus si se padece algún trastorno bucal porque la probabilidad de contagio es muy alta.

En ocasiones el conflicto femenino ante el sexo oral es ético: a pesar de que les gusta, no consiguen aceptarlo porque consideran que es una práctica inadecuada.

Un conflicto bastante común es que algunos hombres sienten que si una mujer les hace una felación se encuentra sometida a su dominio y no que se trata de un disfrute para ambos. Otros, en lugar de estimular el clítoris, introducen su lengua tensa en la entrada de la vagina. También se cometen errores como lamer la vulva sin un verdadero afán de proporcionarle goce, sino solo por «cumplir» durante unos segundos antes del coito o con el ánimo de ir cuanto antes a la penetración.

Por su parte, las mujeres tienen dudas y temores tanto para ser estimuladas oralmente como para estimular ellas a sus amantes. En su caso por vergüenza, por sentir que su vulva no es bonita, o que el clítoris es de mayor o menor tamaño, e incluso les parece que tienen el pubis poco poblado de vello o demasiado cubierto por el mismo. En síntesis, es el temor al rechazo porque a ellos les desagraden sus genitales. En ocasiones el conflicto es ético: a pesar de que les gusta no consiguen aceptarlo porque consideran que es una práctica inadecuada.

44

POSTURAS PARA LA PRÁCTICA DEL SEXO ORAL

SENSIBLE ADORACIÓN

Ella está de pie, con los ojos entrecerrados, y entreabre las piernas para que él, de rodillas y tomándola por un muslo, acerque su boca a la vulva palpitante y húmeda por el deseo. Con lentas lamidas recorre los labios mayores y menores de arriba abajo, hasta acabar en el clítoris. Va variando la intensidad y el movimiento de su lengua para sorprenderla con cada nueva caricia. Sus manos se aferran a sus nalgas, el contacto con su boca es aún más estrecho mientras comienza a percibir el estremecimiento que precede al clímax.

INTRÉPIDA AMAZONA

Él está echado de espaldas con las piernas flexionadas y sus rodillas rozan sensualmente las nalgas de la amante; lentamente, ella desciende hasta colocarse encima, de tal modo que su vulva busca la boca del hombre hasta fundirse. Él acaricia con sus manos las ingles y el pubis mientras su lengua recorre la vulva y el centro de placer de ella. A medida que aumenta su gozo, la mujer echa el cuerpo hacia atrás mientras mueve sus caderas, y él introduce un dedo en la vagina para acompañar el ritmo de su lengua.

RENDIDO DESENFRENO

El deseo la ha dejado entregada a su amante, al que espera con los ojos cerrados, recostada, con las piernas recogidas y abiertas. Él se arrodilla y acerca el pubis femenino hacia su boca para beber con fruición los fluidos de su vulva. Usa la punta de su lengua para acariciar los alrededores del ano y subir por el perineo dando toques suaves sobre esa piel tan sensible. Y, por fin, al oír sus excitantes jadeos, se centra en el clítoris, que lo llama con urgencia para reclamar su indiscutible protagonismo en el disfrute femenino.

APASIONADA ENTREGA

A gatas sobre la cama, ofrece a la vista del amante sus nalgas entre las que asoma la vulva a la espera de la caricia que la haga gozar. Él se arrodilla, con sus manos roza la hendidura de los glúteos y el interior de los muslos. Apoyándose en los brazos, ella levanta un poco más sus caderas como reclamo; él sujeta las nalgas para entreabrirlas y su tibia lengua sigue rumbo a los labios menores. Al alcanzar el clítoris, lo lame lentamente mientras acaricia la vulva. El calor y la humedad de la boca sobre su sexo terminan transportándola al orgasmo.

TURBULENTO HOMENAJE

Ella va a homenajearlo, está dispuesta a darle placer. Acostado sobre su espalda, él espera que ella controle la situación. Arrodillada entre las piernas abiertas de su amante, le roza con su lengua el vientre y los muslos. Él se abandona al disfrute hasta que su deseo se concentra en el pene. Ella lo percibe y toma el tronco del pene con sus manos y lo empieza a recorrer con la lengua siguiendo la línea de la uretra. Cuando llega al glande lo lame, como si estuviera tomando un helado, mientras su mano se mueve constantemente sobre el tronco del pene.

RÍTMICO DELEITE

Recostado, atrae la cabeza femenina hasta que su boca queda a la altura del pene. Ella lo toma entre sus manos y comienza a estimularlo, mientras le mira para transmitirle sus sensaciones y recibir las de él. Al percibir la erección incipiente lo roza contra sus labios y su lengua. Luego lo cubre con su boca y continúa con el juego dándole pequeños toques con la lengua. Él se abandona al placer y en ese momento ella comienza a chuparlo apasionadamente; sus labios forman una envoltura que sube y baja rítmicamente.

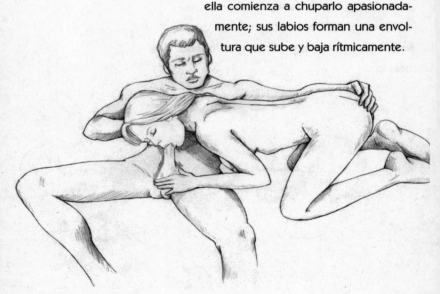

EXCITANTE SUMISIÓN

Después de intercambiar besos y caricias, ella empieza a lamer ese cuerpo que tanto la atrae, y va descendiendo hasta quedar en cuclillas para concentrar su atención en el pubis masculino. Se demora unos instantes, para aumentar su anhelo, y de pronto introduce el pene dentro de su boca y con la lengua le da golpecitos al glande. Lo sugestivo de este juego erótico está en seguir chupando solo la cabeza del pene: lo envuelve con la lengua, gira sobre la corona y el frenillo y lo absorbe voluptuosamente mientras con una mano sostiene el tronco.

INTENSIDAD FEBRIL

Se miran y se tocan, están arrodillados uno frente al otro; ella lleva una mano a su clítoris y empieza a masturbarse, luego curva su torso hacia adelante y baja la cabeza en busca del pene, que comienza a palpitar. Guiada por el deseo, lame primero el glande, luego va introduciendo el pene, centímetro a centímetro, cada vez más adentro de su boca para chuparlo con un ritmo urgente. El placer lo invade y apoya una mano sobre la cabeza de su amante para ayudarla a encontrar el ritmo que le resulta más excitante, y se deja llevar por las sensaciones.

NÚMERO IDEAL

Cuerpos que se acoplan en sentido inverso para que en pubis y bocas se fundan los distintos fluidos, dándose un disfrute intenso y recíproco que resulta difícil de igualar. Uno al otro se responden lamida por lamida en este o aquel punto; ella lame el perineo, él encierra el clítoris en su boca; ella sorbe el glande, él desliza su lengua por la vulva entera; ahora ella lame el tronco y él vuelve al centro del placer femenino. Y siguen así hasta tener las bocas saciadas, los cuerpos exhaustos y la pasión satisfecha.

45

COITO ANAL

Los prejuicios sexuales y ciertos tabúes han conspirado, desde siempre, para limitar el placer en el universo de la sensualidad. Uno de los más arraigados, y que aún pervive, es el de los juegos sexuales que tienen como protagonista al ano y, sobre todo, la penetración; es decir, el coito anal.

Sin embargo, aquellos que lo practican, tanto hombres como mujeres, sienten un enorme placer cuando lo viven naturalmente y con entera libertad.

Indudablemente, no es sencillo explorar las placenteras posibilidades que esta práctica sexual proporciona, pero si se hace lentamente, sin darse prisa ni forzar las situaciones, el descubrimiento valdrá la pena, sin duda, tanto para él como para ella.

En el caso de las mujeres, el rechazo hacia el contacto anal tiene varios componentes: temor a que les duela la penetración en ese estrecho conducto o pensar que su amante tiene tendencias homosexuales cuando quiere hacer el amor así, entre las más importantes, aunque hay también motivos de otra índole, también basados en preconceptos erróneos.

Los hombres, por su parte, en muchos casos, apenas ella se acerca a acariciar la zona o a lamerla, se retraen creyendo que se trata de una práctica de la que solo gozan los gays, lo que en modo alguno es así, ya que no hay partes del cuerpo que no puedan participar del erotismo.

Porque la zona anal está singularmente dotada de posibilidades para brindar placer, ya que es uno de los núcleos erógenos más sensitivos a la estimulación sexual por estar poblada de terminaciones sensibles de alta capacidad de reacción sensual.

Indudablemente, no es sencillo explorar las placenteras posibilidades que esta práctica sexual proporciona, pero si se hace lentamente, sin darse prisa ni forzar las situaciones, el descubrimiento valdrá la pena, tanto para él como para ella.

LA PREPARACIÓN PREVIA

La pareja de amantes que decida incursionar en el goce anal debe actuar con delicadeza y con tiempo, desechando las prisas por llegar al coito completo en un solo encuentro. Quizá se produzca o puede que, simplemente, se inicien los escarceos en este punto y, poco a poco, se irá llegando a más hasta completar la deseada ceremonia.

En el caso de ellas, la mejor manera de conducirlas hacia este infinito goce es esperar el momento en que estén sumamente excitadas, estimulando largamente y con total concentración el clítoris, aunque acariciando a la vez, de tanto en tanto, la zona anal. Cuando el dedo del amante humedecido en saliva o en los propios fluidos vaginales de la mujer trace un recorrido por el perineo hasta llegar al ano y considere que el orificio está distendido, algo más abierto que lo habitual y emitiendo latidos provocados por la excitación, él sabrá que la ha situado al borde del precipicio orgásmico. Entonces es el mo-

Si no se actúa

con suavidad y utilizando un lubricante, intentando directamente la penetración, sin preparar antes el esfínter anal para que esté lo suficientemente dilatado, además del daño de ese momento, que produce dolor inmediato, pueden generarse desgarros o fisuras anales. Igualmente, hay que cuidar las uñas, si están largas, para no arañar el delicado tejido.

mento adecuado para que se disponga a introducir su dedo meñique, previamente lubricado, muy despacio, milímetro a milímetro, y esperar su respuesta.

La razón para proceder de este modo es que el esfínter anal es un músculo poderoso de forma circular y de reacciones voluntarias e involuntarias. El placer lo relaja de manera natural cuando ella alcanza el orgasmo, lo que permite que la penetración se produzca sin dolor ni molestias.

En cambio, si ella se pone tensa y el músculo se cierra sobre el dedo que intenta avanzar hacia el interior, es oportuno frenar el estímulo, seguir mimando otros puntos erógenos y esperar una ocasión más propicia.

IR AVANZANDO LENTAMENTE

A medida que ella reaccione, disfrutando del estímulo, y vaya acrecentándose el nivel de satisfacción que le proporciona, él puede reemplazar el delgado meñique por dedos más gruesos para seguir provocando la dilatación. Al cabo de un tiempo, que es variable de una mujer a otra, llegará un punto en que podrá hacer el primer intento de penetrarla con el pene.

También en este caso es fundamental utilizar un lubricante acuoso para no romper o deteriorar el preservativo.

Pausadamente, primero introducir el glande, permanecer quieto unos segundos, luego deslizar suavemente y poco a poco el tronco del pene y, por último, cuando no haya ninguna reacción opuesta, podrán iniciarse los movimientos, al principio leves, sin dejar ni por un instante de estimularle a ella el clítoris, hasta conseguir la penetración total.

Una primera relación anal satisfactoria para ambos marca el camino hacia un aumento del placer.

UN PUNTO IMPORTANTE

Si en cualquier tipo de relación sexual, y sobre todo cuando se llega a la penetración, es recomendable el uso de preservativos para prevenir la transmisión de en-

Una cuestión

a tener muy en cuenta para practicar el coito anal es el tamaño y la forma del pene. Si es grueso y de grandes dimensiones, la penetración puede ser más difícil o causar dolor; en cambio, son los medianos o pequeños los que ofrecen más facilidad de penetración.

fermedades, en el caso del coito anal esto es una verdadera prioridad.

Antes de un encuentro erótico, y si se trata de una pareja que practica la penetración tanto vaginal como anal, es conveniente tomar ciertas sencillas medidas de higiene.

Una de ellas es limpiar el conducto anal previamente e incluso hacer una suave lavativa de agua tibia, asegurándose de que no haya restos de materia fecal en el conducto para que no salga el pene manchado. Por otra parte, puede ocurrir que se produzcan ciertos sonidos propios y naturales de la zona y no es posible hacer nada para evitarlos, aunque no siempre suceden.

Asimismo, lo que no se debe hacer es que el pene o los dedos penetren alternativamente en el ano y la vagina sin haberse lavado el miembro o las manos, y tampoco utilizar el mismo preservativo, porque se pueden transmitir infecciones de diverso tipo de una zona a la otra.

Algunas personas creen que esto solo ocurre si se penetra primero en el con-

La postura popularmente conocida como la del «perrito» es la más adecuada y cómoda para que el ano de ella quede al alcance del pene y se facilite la penetración. La mujer se coloca a gatas, apoyándose sobre las rodillas y las palmas de sus manos. Él, de pie o arrodillado, dependiendo de la superficie donde se encuentren, se acopla desde atrás.

ducto anal y luego en la vagina. Pero también hay riesgo, por ejemplo, de contagiar micosis vaginales si la penetración se produce en el orden inverso.

ACRECENTAR LAS SENSACIONES

El gran prejuicio de los hombres ante la posibilidad de que le exciten el anillo anal o de que ella penetre con un dedo o un juguete sexual por ese conducto se centra en el erróneo pensamiento de que solo los homosexuales disfrutan de ello; de modo que siente que su «hombría» se puede ver menoscabada si goza de ese modo.

Nada más lejos de la realidad. Al igual que ocurre en el cuerpo femenino, se trata de una zona ricamente poblada por terminales de gran sensitividad que reaccionan a los estímulos y no hay ninguna relación entre esta práctica y la homosexualidad o la bisexualidad, simplemente se trata de disfrutar.

Una penetración anal que se le practique a él, cuando se hace adecuadamente, carece de contraindicaciones físicas, al igual que les sucede a las mujeres, y no modifica la orientación sexual.

Incluso, a ciertos hombres, sentir que están asumiendo el papel «pasivo» y que es ella quien los está penetrando, por el contrario, los sitúa en un ámbito especialmente placentero del que gozan intensamente. Por lo demás, su papel no tiene por qué ser solo pasivo; mientras ella juguetea con su ano él puede estimularla a su vez, acariciándole los senos o la vulva.

Algunos hombres, mientras se masturban, durante el coito vaginal o mientras ella le practica una felación, se autopenetran el ano con los dedos para sumar placer al que ya están sintiendo.

El morbo se alimenta del cambio, de lo que es diferente, de aquello que no es corriente y rutinario. La sorpresa, el juego diferente, el descubrimiento de partes del cuerpo que no se sospecha que puedan dar placer, es un modo creativo y natural de ampliar el universo de las sensaciones.

Limitarse al coito vaginal y a la eyaculación rápida es solo un modo de desaho-

En los casos de personas que padezcan de hemorroides, fisuras o cualquier otro trastorno en el conducto rectal o en las zonas cercanas, debe evitarse la penetración anal. Una vez que hayan seguido el tratamiento recomendado por un especialista y estén recuperadas, podrán volver a disfrutar de esta práctica sin ningún problema.

garse, y a veces no del todo satisfactorio. El erotismo no consiste en saciar única y exclusivamente el aspecto físico, sino en abrir la mente a nuevas experiencias que pueden conducir muy lejos en la senda del disfrute.

INICIÁNDOLO
EN UN PLACER DIFERENTE

Ella tiene que llevarlo al punto álgido de la excitación, lo que puede conseguir con una hábil estimulación oral. Cuando lo note excitado combinará este estímulo con caricias de su mano, que llevará hacia atrás para estimular el perineo. Una vez que haya alcanzado el anillo anal, puede llevar un dedo a la boca del amante, lo que suele incitarlo por su connotación erótica o embeberlo en lubricante, dibujando el círculo del orificio rectal.

Cuando esté relajado y ella perciba cierta distensión, ha llegado el momento de aventurarse con la punta de su dedo hacia el interior y, dejándolo quieto, esperar su reacción. Si él no se retrae, puede besar o acariciar con la lengua el ano para humedecer y comunicar calor a ese punto álgido.

Al percibir que él acepta el estímulo y lo está gozando, ya es posible internarse y mover el dedo en forma rotativa muy lentamente para ir abriéndose camino hacia el interior. Poco a poco, con cuidado, podrá ir penetrando con más de un dedo, relajando, dilatando, buscando nuevas sensaciones.

Cuando él abandona la inhibición inicial y se deja ir consigue alcanzar un doble placer orgásmico; por un lado, la enorme tensión erótica lo llevará a sentir en su pene una potente erección; y, por otro, durante su recorrido interior por el recto, en cierto momento ella descubrirá que puede estimular la próstata masajeándola. Ambos estímulos combinados provocarán en él un placer insólito, lanzándolo a un clímax de una insospechada intensidad, que querrá repetir en el futuro buscándolo una y otra vez.

46
POSTURAS PARA LA PRÁCTICA
DEL SEXO ANAL

PARAÍSO SECRETO

Él se ha sentado en el borde de la cama; la amante se sienta encima para que los cuerpos se acoplen. Las bocas se buscan y la piel se roza sensualmente. Las piernas abiertas de ella flanquean el cuerpo masculino. Siente como la sujeta por el talle iniciando una suave penetración. Ella contribuye elevando las caderas y la pelvis en la postura más cómoda para que el pene pueda penetrarla analmente y disfrutar con el suave vaivén que él imprimirá al coito para que ella también goce, cara a cara y en una intimidad total.

ENTRAÑABLEMENTE JUNTOS

De lado, apoyada en el hombro y la cadera, recoge las piernas. El amante se acopla por detrás del cuerpo femenino, lo recorre con sus manos y apoya el pene entre las nalgas rozándolas acariciante

hasta penetrarla lenta e intensamente. Ambos gozarán de la fricción provocada por los glúteos semicerrados y las caderas moviéndose al mismo ritmo. Él lame la nuca y la espalda de ella, pasa una mano por delante y mima sus pechos y su pubis; llevando la suya hacia atrás; ella puede acariciarle las nalgas y estrechar el abrazo.

SALVAJE INTIMIDAD

La excitación los lleva a arrodillarse, él pega su cuerpo al de la mujer, que responde inclinándose ligeramente hacia adelante y buscando apoyo sobre la cama. La mano del amante roza el espacio entre las nalgas, luego humedece un dedo en su boca y estimula el anillo anal, relajándolo. Excitada, ella se arquea y eleva las caderas para provocar la penetración. Él dirige el juego, pro-

fundo o superficial, lento o rápido, y ella
empuja hacia atrás con fuerza, rotando sus
caderas; una caliente cadencia que los llevará al orgasmo.

LAZO AMOROSO

Sus nalgas están al borde de la superficie y ella gira la parte inferior de su cuerpo,
con las piernas juntas hacia un lado, dejando ver el ano entre ellas. Puede hacerlo
solo si sus caderas y su cintura son flexibles.
Él se arrodilla para penetrarla, provocando en ambos una sensación intensamente
erótica, manteniendo un ritmo lento y ar-
diente mientras la excita rozando su pubis,
el vientre y el ombligo, o acariciándole los
pechos y el interior de los muslos. Esta íntima postura acrecienta la pasión entre los
amantes.

ÉXTASIS PROFUNDO

Recostada boca arriba, alza las piernas hasta apoyarlas sobre los hombros del amante que está arrodillado frente a ella. La toma con firmeza por las nalgas y se impulsa hacia adelante hasta lograr penetrarla. Él lleva la cadencia, sujetando y apretando las caderas femeninas sensualmente; a medida que varía la frecuencia, la intensidad y el ángulo de penetración, aumenta la excitación de ambos. Finalmente, comienza a frotar con un ritmo más intenso el conducto anal y a estimular el clítoris en la búsqueda del clímax.

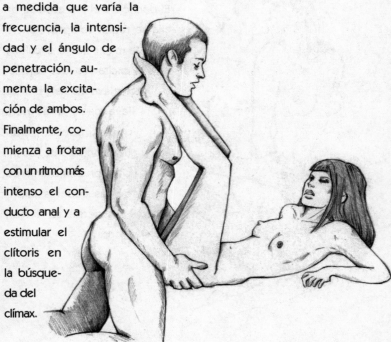

TIERNO FRENESÍ

Los embarga el deseo que se transmite como una corriente entre los cuerpos.
Ambos están arrodillados, él la enlaza por
detrás con sus brazos y la besa apasionadamente, luego acerca la boca a
una de sus orejas, lame el lóbulo y mordisquea su cuello.
El pecho de él y la espalda de
ella se rozan voluptuosamente; la mujer siente el calor y
la excitación del contac-
to, eleva las nalgas y las
lleva hacia atrás para
que él pueda pene-
trarla analmente. Lo in-
cita con el movimiento
de las caderas mien-
tras sus dedos se dirigen
al clítoris.

CANDENTE DESAFÍO

Tan excitada está después de los juegos previos que se recuesta abriendo las
piernas, invitándolo a penetrarla. Él no
puede resistir la tentación y se coloca encima, apoya los brazos a ambos lados del
cuerpo femenino y comienza un lento y
profundo coito anal mientras las piernas
de ella aprietan las nalgas masculinas para
participar con el impulso de sus caderas.
En esta postura ambos amantes deben
participar activamente; es preciso dar y recibir para mantener de forma continuada
el vigor del ritmo de la cópula.

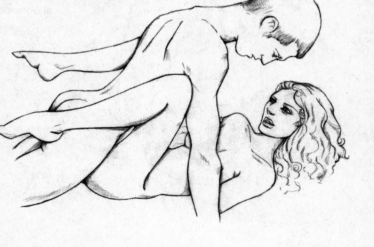

SECRETA OFRENDA

La amante se tiende boca abajo ofreciendo su cuerpo a las caricias. La excitación de los juegos previos se acrecienta con la visión de las curvas que forman las caderas y las nalgas. Él se coloca encima y adelanta el torso, apoyándose en los brazos, en busca del contacto más pleno. Luego, con suaves movimientos, se impulsa para conseguir la penetración, que al comienzo es suave y superficial, hasta hacerse más profunda, alternando la frecuencia de los embates mientras la pasión marca el ritmo que los conducirá al orgasmo.

SUGERENTE FUSIÓN

Están de pie, la mujer delante y el hombre por detrás; el apremio del deseo los ha unido. La posición de los cuerpos en esta postura depende de la altura de los amantes. Si él es más alto deberá inclinarse hacia adelante, pegando el torso a la espalda femenina y, si lo es ella, se facilitará el acoplamiento cuando flexione las rodillas, abriendo el ángulo de sus piernas.

Ella disfruta con las caricias que él le prodiga y, entretanto, demuestra su placer asiendo a su amante por las caderas para sentir intensamente cada embestida.

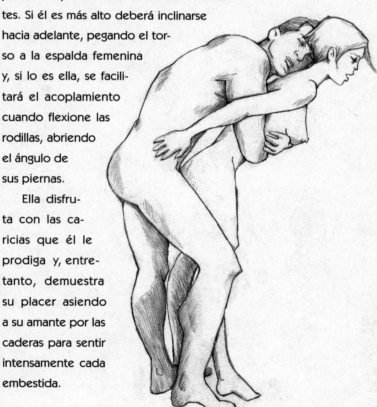

47

LA ORIENTACIÓN SEXUAL

La atracción erótica y el interés por mantener relaciones amorosas con personas del propio sexo (homosexualidad), del sexo opuesto (heterosexualidad) o de ambos (bisexualidad) es lo que se conoce como orientación sexual.

Sin embargo, no se trata de una elección o percepción sentimental inamovible: muchas personas son heterosexuales pero, en ciertas circunstancias, experimentan una singular atracción por alguien del mismo sexo. Y lo mismo ocurre al revés, hay homosexuales que, en algún momento, disfrutan de una magnífica relación erótica con alguien del sexo opuesto.

La gran mayoría de las personas son heterosexuales, lo que por tradición se considera natural o acorde con la biología

En la actualidad asistimos a un fenómeno creciente de personas que manifiestan hallarse «apresadas» en un cuerpo que físicamente no se corresponde con el género al que sienten pertenecer. En ocasiones suelen someterse a tratamientos hormonales y cirugía plástica para modificar sus órganos genitales y que concuerden con el mismo.

por la posibilidad de reproducirse, aunque también es una corriente social generalizada, ya que a lo largo de la historia los conceptos de sexualidad y reproducción han estado íntimamente ligados. Desde una óptica cualitativa no hay diferencias entre las diversas orientaciones porque el cariño y el placer sexual no dependen de quiénes ni con quiénes se intercambian y disfrutan.

En cualquier caso, todas las orientaciones tienen su origen en factores de diverso tipo como pueden ser la educación, el entorno social y ciertas circunstancias personales, que son los que tienen peso a la hora de asumir la propia.

Es importante distinguir orientación de identidad sexual: la primera es un sentimiento hacia las personas que deseamos y la segunda es lo que percibimos internamente sobre nosotros mismos.

48

HETEROSEXUALIDAD

Resulta fácil comprender esta palabra compuesta si aislamos su primera parte: *hetero*, que procede del griego y significa distinto o diferente. De modo que, al decir heterosexual, es sencillo entender que se refiere a aquellas personas que sienten deseo y atracción erótica por el sexo opuesto.

Es la orientación mayoritaria entre la población mundial y está íntimamente relacionada con la posibilidad que tienen los heterosexuales, es decir, un hombre y una mujer, de tener relaciones sexuales con vistas a procrear, aunque no necesariamente siempre las mantengan por dicha razón.

Precisamente, de esta noción biológica se deriva que históricamente se la haya considerado «normal» o natural.

A lo largo de la historia se ha tratado como desviación y hasta ha sido considerado un delito, penando con cárcel o peores castigos a quienes no lo eran. Y pese a que aún en muchas culturas o entre los adeptos a ciertas creencias religiosas se conservan prejuicios hacia todos aquellos que no son heterosexuales, considerando toda diferencia como enfermiza o antinatural, lo cierto es que todas las orientaciones que responden a la búsqueda instintiva del placer y del amor son normales.

Hoy, en este sentido, las sociedades más evolucionadas han dado pasos de gigante para eliminar las diferencias; de modo que los homosexuales y bisexuales incluso pueden casarse legalmente y adoptar hijos.

49

HOMOSEXUALIDAD: GAYS Y LESBIANAS

Se denomina homosexualidad a la atracción entre personas del mismo sexo. Aceptar la propia orientación sexual y sentirse cómodo con ella, sea cual sea, tanto a nivel afectivo como sexual, es imprescindible para estar bien con uno mismo y permitirse disfrutar no solo del erotismo sino también de los sentimientos amorosos.

Estudios recientes indican que el número de personas que mantienen relaciones homosexuales, o las han mantenido en algún momento de su vida, es muy alto, aunque esto no indica que esta sea su orientación sexual predominante. La homosexualidad, la heterosexualidad o la bisexualidad no son compartimentos cerrados e inamovibles.

GAYS

La palabra *gay*, que en inglés significa «alegre», es con la que prefieren ser llamados los hombres que aceptan plenamente su orientación homosexual.

No obstante, todavía hay homosexuales que lo ocultan por temor al rechazo social y familiar.

Las ideas erróneas en torno a los homosexuales son innumerables: desde atribuirle a uno u otro integrante de la pareja masculina un papel pasivo o activo fijo, hasta considerar insaciable su afán por mantener relaciones sexuales, e incluso se afirma que sus gestos, maneras y conducta son iguales en todos los casos.

Sin embargo, todo ello está muy lejos de ser verdad porque, salvo la imposibilidad del coito vaginal, entre dos hombres se dan tantas posibilidades eróticas como entre los heterosexuales.

Ahora bien, el haber tenido alguna vez contacto un hombre con otro no significa que se es gay; hay quienes deciden probar a tener una relación homosexual, aun-

Dar a conocer socialmente la orientación homosexual no es una obligación; simplemente facilita las relaciones, evita incomodidades y contribuye a ganar la aceptación de los demás para vivir con normalidad y alegría la propia realidad.

que sea una vez en la vida, por curiosidad o por vivenciar un modo erótico distinto del habitual.

LESBIANAS

Es muy frecuente que las mujeres, en ciertos períodos de su vida como la adolescencia, jueguen sexualmente entre sí y se masturben juntas, una a la otra. Incluso en la adultez continúan fantaseando o teniendo sueños eróticos en los que mantienen relaciones sexuales con alguien del mismo sexo.

Eso no implica que sean lesbianas o bisexuales necesariamente. Puede que, por regla general, les gusten los hombres pero a veces sientan atracción por una mujer.

Lo importante es responder a los propios deseos cuando aparezcan, tal como se presentan, sin aplicar o aplicarse etiquetas.

En el intercambio erótico entre mujeres no hay coito con penetración, salvo que esta sea manual o con juguetes eróticos que reproducen el pene. En cuanto al

La palabra
lesbiana hace referencia a la isla griega de Lesbos, donde en la Antigüedad vivió la poetisa Safo, cuyos poemas son un símbolo del amor entre las mujeres.

sexo oral y otros estímulos, la relación es tan completa como en la heterosexual.

Las lesbianas han sufrido, y aún sufren en algunas sociedades, una doble discriminación: son mujeres y además homosexuales. Se las acusa de no responder a su rol biológico natural de ser madres y de negarse a asumir la tradicional sumisión a los hombres, incluyendo la dependencia fálica.

50

BISEXUALIDAD

No es extraño que siendo heterosexual se sienta atracción física en cierto momento de la vida, o «enamoramiento» por alguien del mismo sexo, ya que la orientación sexual no necesariamente permanece inalterada durante toda la vida.

De hecho, quienes mantienen relaciones sexuales en ocasiones con otras personas de su mismo sexo o del opuesto son a la vez heterosexuales y bisexuales.

En materia de erotismo no hay pautas rígidas a seguir, sino instintos y emociones que guían naturalmente, y es a estos a los que hay que prestar atención para disfrutar con plenitud, sin reprimirse ni pensar en el «qué dirán» u otras restricciones.

Una definición concreta de lo que significa bisexualidad es: sentir interés eróti-

Kinsey afirma en su conocido informe que homosexualidad o heterosexualidad no son definitivas, absolutas, independientes entre sí ni excluyentes; sostiene que hay un completo y cromático espectro que va de la heterosexualidad exclusiva hasta la exclusiva homosexualidad, aunque la mayoría de las personas están a medio camino entre ambas: es decir, son bisexuales.

co y placer del contacto sensual con hombres o mujeres, indistintamente.

Todas las personas tienen una natural inclinación bisexual al nacer, aunque posteriormente opten por una u otra identidad erótica; de hecho, en la infancia, los primeros escarceos sexuales generalmente se dan entre criaturas del mismo sexo.

A través de la educación y los modelos dominantes la sociedad presiona induciendo a que las personas adopten una postura única e incuestionable: ser heterosexual u homosexual, respondiendo siempre a dicha identidad, y todo aquello que se salga de la norma establecida es censurado y genera sentimientos negativos.

La bisexualidad, sin embargo, en sociedades como la antigua Grecia, era considerada natural y muchos hombres tenían al mismo tiempo relaciones sexuales con su pareja femenina y con jóvenes a quienes trataban con afecto, brindándoles protección.

51

FECUNDACIÓN Y FERTILIDAD

Este proceso es la unión de un espermatozoide con un óvulo, a partir de lo
cual este, ya fecundado, se convierte en
un embrión que implantado en el útero
irá madurando durante nueve meses, después de los cuales nacerá un niño. Para
ello, el hombre y la mujer deben ser fértiles; es decir, sus aparatos reproductivos y
sus niveles hormonales no tienen que pre-
sentar anomalías.

La ovulación generalmente se produce
a la mitad del ciclo menstrual: unos catorce o quince días antes de la próxima regla. Los óvulos viven entre 24 y 48 horas, y
los espermatozoides en el útero, unas 72
horas; de modo que los días más fértiles
son tres o cuatro, dependiendo del día
en que el ovario ha emitido el óvulo.

INFERTILIDAD

Las parejas que desean tener hijos y no lo consiguen deben consultar a ginecólogos expertos en fertilidad, que harán pruebas para verificar si hay algún trastorno fisiológico en los órganos reproductivos y si la calidad de los óvulos y los espermatozoides permite un embarazo.

Si una pareja es fértil, pero tras varios intentos de coito sin anticonceptivos no se produce el embarazo, es importante no obsesionarse, ya que la ansiedad es un factor psicológico que influye negativamente para lograrlo.

Cuando se da la circunstancia opuesta: cualquiera de los trastornos que impiden la procreación, puede recurrirse a diversos métodos; el ginecólogo indicará el más apropiado dependiendo del problema que cause la infertilidad.

Los más corrientes son la inducción a la ovulación, que consiste en un tratamiento hormonal, y es el médico quien aconseja en qué momento conviene practicar el coito.

También la inseminación artificial, tanto con esperma de la pareja o de un donante, si la infertilidad de él es irreversible. Consiste en colocar espermatozoides en el útero después de que el semen pase por un proceso de laboratorio.

La fertilización in vitro es asimismo habitual; se extraen varios óvulos y esperma que se ponen juntos en un medio adecuado, inyectando un espermatozoide en cada óvulo. Cuando han transcurrido 48 horas y los óvulos están fecundados, los embriones se implantan en el útero para que se desarrollen.

Otros métodos menos habituales son la microinyección espermática, que se usa si los espermatozoides son débiles y se inyectan directamente en el óvulo; asimismo, es posible recurrir a la donación de óvulos, en el caso de que la madre biológica no consiga ovular.

52

SEXUALIDAD Y EMBARAZO

Si bien es muy difícil conocer los porcentajes con certeza, según diversas publicaciones especializadas un 40 por ciento de mujeres aproximadamente sienten que su deseo sexual disminuye al quedarse embarazadas. Casi la mitad, en cambio, no manifiesta ningún cambio en este aspecto, y también se ha descubierto que un 10 por ciento se siente más proclive a mantener relaciones eróticas.

Durante los primeros meses, si ella siente náuseas u otras molestias típicas de este período, evidentemente puede disminuir su deseo, pero una vez que su estado vuelve a ser el de siempre y el embarazo es normal, no hace falta cambiar los hábitos sexuales ni la frecuencia en la práctica del coito. Uno de los temores más comunes, tanto de ella como del hombre, es si los empujes de la penetración y las contracciones orgásmicas pueden eventualmente molestar o dañar al embrión; en este sentido no hay ningún peligro.

El feto está protegido en el útero y envuelto en la bolsa de líquido amniótico, muy aislado del contacto externo. Incluso el goce de la madre durante el acto sexual y el orgasmo, que se transmite al cerebro generando las sustancias llamadas endorfinas, pueden también ser registrados por el feto, al que le llegan por la vía del torrente sanguíneo.

COSAS QUE PASAN

Indudablemente, el embarazo produce en el organismo femenino una serie de cambios, tanto en el sistema vascular y neurológico como en el hormonal. A veces es precisamente la modificación del equilibrio de las hormonas lo que provoca que algunas mujeres sientan más estimulada su libido. Sin embargo no todo es atribuible a lo físico; los factores de índo-

En ningún estudio científico se ha encontrado relación directa entre la práctica sexual y un posible sangrado o aborto natural durante los primeros ocho meses de embarazo. Y si el ginecólogo no indica la abstinencia, pueden mantenerse relaciones prácticamente hasta el final, siempre y cuando no genere incomodidad.

le psicológica, como el deseo de ser madres y la alegría que eso provoca, también son motivos para que ella se sienta más deseosa de compartir sexo con su pareja. Además, en este período especial de la vida las paredes de la vagina están más flexibles y hay mayor lubricación natural. Según algunas estadísticas, una de cada cinco mujeres disfruta de su primer orgasmo mientras está gestando. En cambio, cuando los senos comienzan a hincharse preparándose para la lactancia, puede agudizarse la sensibilidad en esa zona y que la mujer no quiera que esa parte de su cuerpo sea estimulada durante los juegos sexuales.

No hay restricciones en cuanto a la práctica de sexo anal u oral durante el embarazo; la única limitación que está indicada es que, en caso de practicar el cunnilingus, no conviene soplar sobre la vulva ni en la entrada vaginal para evitar que se transmitan gérmenes o bacterias que den origen a posibles infecciones.

Ya sea porque uno de los dos, el hombre o la mujer, se sientan incómodos o no

En caso de

hemorragia, infección, peligro de parto prematuro o si se rompe la bolsa de líquido amniótico, debe evitarse el coito. Algunos ginecólogos desaconsejan la relación sexual si ha habido abortos anteriores y, si el embarazo es de mellizos, evitar la penetración durante los tres últimos meses.

puedan vencer sus temores y rechacen el sexo con penetración, eso no significa que durante el embarazo deba cesar la vida erótica.

Pueden masturbarse mutuamente o autoestimularse, mientras el otro mira cómo se desarrolla el placer, así como estrechar los vínculos afectivos y sensuales intercambiando besos, abrazos y otras caricias que, en ocasiones, ofrecen tanto disfrute que hasta se alcanza un insospechado clímax.

53

SEXUALIDAD EN EL POSPARTO Y LA LACTANCIA

Hay momentos especiales en la vida de una mujer que se expresan tanto anímica como físicamente y que, además, en ciertos casos afectan de manera singular a su sexualidad.

Uno de ellos es, sin duda, el período inmediato después de dar a luz. Durante el mismo, los órganos del aparato reproductor, incluso en el caso de haber tenido un embarazo y un parto normales, no están en su estado natural, sino que necesitan un tiempo para volver a ser como eran antes del embarazo.

A la vez, la vagina y la vulva están especialmente sensibilizadas por el reciente parto y los pechos hinchados, con los pezones extremadamente delicados, sobre todo si está dando de mamar al recién nacido.

En los meses que siguen al parto, los hombres pueden jugar un papel importantísimo siendo comprensivos con el estado físico y anímico de ellas para conseguir volver cuanto antes a la normalidad y así recuperar el ritmo sexual que la pareja tenía antes del embarazo.

Tampoco es conveniente olvidar que esta es una de las etapas de la vida femenina en que las hormonas están revolucionadas y en un proceso de cambio, hasta que vuelvan al funcionamiento fisiológico de siempre, como también que hay una amplia gama de sensaciones femeninas ante la maternidad, sobre todo si ella es primeriza, que convulsionan su estado anímico. Algunas mujeres están contentas y hasta eufóricas, y otras manifiestan sentimientos de tristeza que pueden llegar incluso a la depresión. En cualquier caso, todas deben afrontar una nueva situación personal y familiar que en ocasiones las deja exhaustas, lo que disminuye la intensidad de sus deseos eróticos.

SÍNTOMAS MUY CONCRETOS

Estudios recientes indican que un 80 por ciento de las mujeres tiene trastornos sexuales durante los tres primeros meses después del parto, especialmente si ha sido vaginal y no por cesárea. Sin embargo, solo un 15 por ciento de ellas acude a la consulta de su ginecólogo para tratar esta cuestión.

Entre los síntomas físicos más comunes están la sequedad vaginal o la debilidad y laxitud de sus paredes, que están muy distendidas y su tono muscular no es el que tenían anteriormente; algunas mujeres, además del sangrado corriente de la «cuarentena» hasta que se normaliza la menstruación, notan irritación después del coito, y otras suman a ello sensaciones molestas o dolorosas durante la penetración y el orgasmo.

En cuanto a la lactancia, la madre que da de mamar tiene los pechos hinchados porque están cargados de leche. Si esta fluye en abundancia y el bebé no la toma enteramente, cada tres o cuatro horas se derrama y ella nota una molesta humedad en momentos intempestivos que la hace sentirse incómoda y en muchos casos sus pezones se irritan, llegando a doler y sangrar.

Esto también afecta a la sexualidad de la pareja, ya que ella siente rechazo si su pareja intenta estimularla antes o durante

Ser creativos sexualmente durante los especiales períodos del posparto y la lactancia es un reto para todas las parejas. Algunas consiguen compaginar las molestias de ella con los impulsos eróticos intensos de él, incluyendo técnicas de masaje o automasturbación masculina que la pareja comparte mirando y acariciando o buscando otras formas de complacerse.

el coito, jugando como antes a besar y lamer sus senos.

Afortunadamente, este tipo de síntomas desaparecen y todo se normaliza entre cuatro y seis meses después.

54
POSTURAS DURANTE EL EMBARAZO

DELICADA UNIÓN

Las pelvis se entrelazan; ella está apoyada sobre su espalda y él a su lado, con
el cuerpo flexionado para que el acoplamiento sea perfecto y el vientre femenino
no soporte presión. Se miran, transmitién-
dose la intensidad de su deseo, y se be-

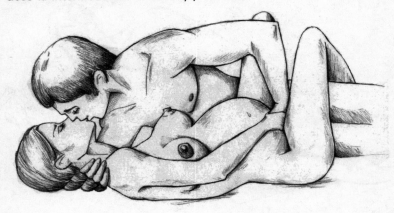

san sensualmente mientras él estimula el clítoris para sumar más goce. Ella puede acariciarlo, revolviéndole el pelo y dibujando con sus dedos las líneas de su rostro, transfigurado por la pasión. El embarazo no es ningún inconveniente para que la pareja siga gozando de la sexualidad, basta con hallar la postura adecuada.

SERENO DISFRUTE

Una de las posturas más cómodas, cuando ella está en un avanzado estado de gestación, es que ambos estén echados de lado y él la penetre desde atrás,

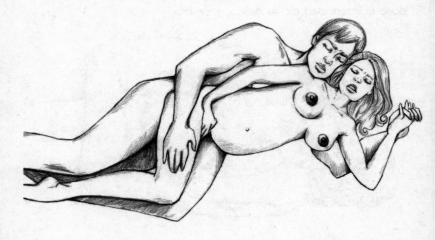

enlazando el muslo de ella con uno de los suyos. Para el hombre es una posición muy satisfactoria porque permite una penetración profunda aunque sus movimientos sean pausados y suaves. Además, ambos pueden estimular los puntos erógenos del cuerpo de ella; los pezones, si no están muy sensibles, el monte de Venus y, sobre todo, el clítoris, llevando él un brazo hacia adelante.

55

AFRODISÍACOS

Desde la Antigüedad los seres humanos han buscado intensificar su disfrute erótico a través de distintos medios y uno de ellos ha sido y es el uso de afrodisíacos. Es decir, cualquier sustancia que acreciente el deseo, la excitación y la potencia sexual. Sin embargo, algunos expertos afirman que ciertas esencias, especias o alimentos como los dátiles, el chocolate o las ostras, no está comprobado que sean realmente afrodisíacos según la definición tradicional. Lo verdaderamente «afrodisíaco» es la predisposición mental que se tenga al comerlos o beberlos. Si se hace pensando que ayudarán a estimular la libido seguramente lo conseguirán, lo que demuestra una vez más que el verdadero órgano sexual es la mente.

La pimienta, tanto blanca como negra o roja, es afrodisíaca y su mezcla con ginseng y jengibre a partes iguales es utilizada en los países orientales para acrecentar la pasión. Algunas antiguas culturas creían benéfico el azafrán porque mejora la circulación sanguínea, lo que afirmaban que fortalecía el útero, potenciando asimismo la erección.

Esencias como la vainilla, el pachulí o la canela gozan de fama erotizante y son muchas las parejas que perfuman el ambiente donde transcurren sus intercambios sexuales con ellas, con velas y ambientadores o, directamente, dándose baños aromatizados y a veces untándose mutuamente la piel para incentivar su sentido olfativo.

En cuanto a los sabores, las especias han sido consideradas siempre sustancias con propiedades afrodisíacas; una de las más utilizadas es el clavo de olor, usado en comidas, postres y bebidas a lo largo de la historia.

Del Lejano Oriente proceden el extracto de *Ginkgo biloba*, que, tomado diariamente, puede mejorar la erección irregular porque activa la circulación sanguínea, que si no es buena contribuye en ocasiones a debilitar o impedir la erección, y el ginseng, que acrecienta la energía en general y la potencia sexual en especial. Las infusiones de esta raíz se beben antes de mantener un contacto sexual, aunque no está tan claro si su efecto es inmediato o hay que beberlo habitualmente a lo largo del tiempo, con descansos intermedios.

De Brasil, y con iguales propiedades, es la raíz de la hierba llamada marapuama, que siempre se ha considerado afrodisíaca.

Frutos y bayas del bosque, como fresas o moras, tomados al natural o macerados en alcohol, son considerados valiosos estimulantes, al igual que frutas tropicales como la papaya y el plátano, sin olvidar los energéticos frutos secos como nueces, castañas o almendras, que encienden la sangre al ser ingeridos.

Las carnes rojas, por su contenido en proteínas, son altamente vigorizantes para todo el organismo, pero es la carne de caza la que se considera más afrodisíaca.

Las estrellas indiscutibles son, sin duda, los mariscos y moluscos, crudos o en diversas preparaciones, siendo los más afamados las ostras, almejas, berberechos, mejillones, camarones y langostinos, que acrecientan el deseo sexual por su gran riqueza en minerales.

56
ROL PLAYING

Cuando una pareja de amantes decide crear un guión erótico en el que serán a la vez directores e intérpretes, para condimentar su relación con más morbo, están jugando al *rol playing*.

Tanto la historia como los personajes pueden estar inspirados en fantasías, situaciones del pasado, recuerdos de la infancia, deseos que nunca se concretaron o ser producto de la más pura imaginación.

Algunas relaciones posibles que intervienen en este «teatro» tan singular e íntimo pueden ser un paciente que mantiene contacto sexual con su dentista; dos desconocidos que se encuentran casualmente en un parque; reproducir la escena sensual de una película, o cualquier otra

El *rol playing* no necesariamente se juega solo en pareja, puede ser parte de un encuentro de sexo grupal o de una fiesta de disfraces eróticos; también puede incorporarse a una tercera persona que interprete su papel en la escena creada. Es especialmente incitante cuando se intercambian los roles y él se convierte en la mujer del guión y ella en el hombre.

situación. Hay algunas personas que incluso se visten con ropa apropiada, por ejemplo, si deciden que su *rol playing* transcurra en un período especial del pasado histórico o en un ambiente que es completamente ajeno a su realidad habitual, aunque el vestuario no es lo más importante, sino meterse de lleno en el personaje que se está interpretando. Un ejemplo de ello sería que los amantes asuman actuar como una criada y un señor que disfrutan del coito en la cocina durante el desayuno, o en el jardín de una mansión.

Lo central en estos juegos es que la situación sea distinta, excitante y se aleje lo más posible de lo cotidiano.

El *rol playing* puede disfrutarse como juego preliminar al coito o iniciarlo, dejando que siga su curso natural hasta que se precipiten las sensaciones, siguiendo o no el guión.

Por su componente lúdico estos juegos tienen el doble aliciente de enriquecer la relación sexual y despojarla de actitudes ceremoniosas y solemnes.

Cuando se quiere que intervengan más personajes, aparte de los amantes, Internet es un buen recurso para hallarlos; incluso pueden participar en la creación del guión de la historia y hasta hacer ensayos para ver el efecto que tendrá cuando se interprete, representándolo en una grabación que puede mostrarse a través de una webcam.

57

BONDAGE LIGHT

La palabra inglesa *bondage*, que significa esclavitud o cautiverio, es el nombre de un juego sexual que inicialmente estaba asociado al sadomaquismo, pero que luego pasó a ser un estímulo más entre los muchos intercambios entre amantes. El adjetivo *light*, ligero o suave, también inglés, indica que se trata de una práctica divertida que no pretende generar sufrimiento sino placer.

Se trata de que uno u otro sea atado para inmovilizarlo en parte o completamente, gozando ambos de su pasividad y actuando quien queda libre para excitar su cuerpo a placer con besos, caricias o cualquier otro estímulo que los transporte a nuevos placeres.

Estos juegos generan una intensa complicidad y, desde luego, deben partir de un vínculo de confianza para que la persona atada no tema ni sienta ansiedad y quien ata tenga un control responsable y lúdico de la situación.

DULCE PRISIÓN

Ambos disfrutan de estos juegos por razones distintas, pero que se complementan. Quien está atado se pone en manos de su pareja y su voluptuosidad crece al saber que está controlado por su voluntad, su entrega es total, es un acto de confianza plena.

Quien maneja la escena goza al estimular a placer a su amante, viéndole a su merced y sintiendo crecer su morbo al percibir cómo disfruta.

Lejos de ser sexo duro, este tipo de *bondage* está cargado de sensualidad y afecto, atendiendo a aquello que más disfrute ofrece a la persona «encarcelada», donde juega un papel importante el ambiente y el uso de ligaduras de materiales tan suaves como cintas de terciopelo, un

El tipo de ligadura debe ser previamente pactado; los nudos conviene que sean sencillos y fáciles de desatar, sin permitir que aparezca sensación de agobio o cansancio por la postura si el juego se alarga. Y siempre atender a la menor mención de molestia para liberar al amante. Hay que recordar que se trata de un juego que debe complacer, y no de hacer daño.

pañuelo de gasa de ella o la corbata de seda de él.

Se pueden anudar las muñecas y los tobillos a los extremos de la cama, ligar solo pies o manos, hacerlo a la espalda o por delante, como si le esposara; la persona ligada puede estar de pie, sentada o echada; las variantes son innumerables, tantas como dicte la imaginación.

58

GOZAR SIN VER

Estar a oscuras o con algún elemento tapando la visión agudiza el resto de los sentidos de una manera espectacular. Si esto se produce durante una relación sexual se potencian las sensaciones infinitamente, sumándose a ello la sorpresa de no saber qué caricia o qué estímulo se va a recibir ni qué parte del cuerpo va a hallar la mano que lo busca; todo es inesperado, excitante, sorprendente.

El olfato crece en intensidad, percibiendo hasta los aromas más ocultos del cuerpo, la lengua disfruta del sabor salado o dulce de la piel y de su textura; el oído parece estar «viendo» porque registra hasta el más leve movimiento de la boca, de una mano, de un pie o del punto del cuerpo que se aproxima y todo ello se ve potenciado por la imaginación. En cuanto al tacto, su sutileza se acrecienta de tal modo que es como si la piel se convirtiera en una envoltura especialmente diseñada para la más pura y exclusiva función sexual.

Mantener relaciones eróticas sin ver hace que la respiración se agite con anhelo, el pulso se acelere en espera de emociones nunca antes percibidas; el tiempo y el espacio desaparecen para situar a los amantes en un lugar que solo existe en su fantasía y que está iluminado por una luz intensa y propia, que vive tras los párpados cerrados o cubiertos por un pañuelo de seda o gasa suave.

El sexo a ciegas es un juego especial y, como cualquier otro, está acotado por las reglas y límites que cada pareja decida. Es fundamental tener claro de antemano y comentar con libertad y franqueza hasta dónde se quiere o se puede llegar, o inventar una palabra clave que indique si en determinado momento uno de los dos se siente incómodo y quiere interrumpir la acción, y, por supuesto, respetar eso

El estímulo que se ve venir y se sabe hacia dónde se dirige es sensualmente excitante, pero aún lo es mucho más si se desconoce el tipo de caricia que será y dónde o cuándo será hecha. El compás de espera a ciegas es incitante y cuando la experiencia resulta satisfactoria crea un lazo de confianza erótica prácticamente indestructible entre los amantes.

a rajatabla. Es la única manera de que la experiencia sea lúdica y grata de verdad y que no se generen tensiones y descon- fianzas que más tarde puedan interferir en los contactos sexuales futuros y en la rela- ción entera.

59

SWINGERS

Hasta no hace demasiado tiempo el sexo grupal y el intercambio de parejas escandalizaban y provocaban críticas en los sectores tradicionalistas y puritanos de la sociedad. Sin embargo, hoy son muchos los que se atreven a convertir su sexualidad en una maravillosa aventura de renovación y cambio, sin que ello atente contra la estabilidad de la pareja. Actualmente se los conoce como *swingers*. Esta palabra de origen inglés procede de *swing*, que significa balanceo o meneo; de modo que con *swinger* se denomina a los sitios creados para los encuentros de intercambio y también a las personas de mentalidad abierta, que quieren disfrutar del sexo con total plenitud explorando todas sus posibilidades, con independencia de que sean solteras, casadas o tengan pareja estable.

Se trata de un perfil muy determinado: viven la sexualidad con naturalidad, en plena libertad de decisión, y se dedican a prácticas tan estimulantes como el intercambio de parejas, el sexo en grupo o los tríos.

En la actualidad, quienes optan por esta forma de intercambiar placer disponen de espacios especialmente destinados a ello: los clubes *swingers* o de ambiente liberal. Son locales de ocio que funcionan dentro de la más absoluta legalidad; las instalaciones están preparadas para desarrollar e incrementar el deseo y las fantasías eróticas y a ellos acuden parejas o personas solas.

Una de las ventajas de estos lugares es que son espacios apropiados para gozar del sexo como se desee y con quien se desee, con la mayor cordialidad y respeto. De manera que nadie obliga a otra persona a hacer lo que no desee; es posible participar de la actividad sexual o solo mirar y luego marcharse sin más.

60

VENCER LAS INHIBICIONES

Entre las fantasías más corrientes, tanto de hombres como de mujeres, está el mantener, por lo menos alguna vez en la vida, relaciones a tres. Ellos ansían ser erotizados por dos mujeres a la vez y ella quisiera ser excitada por dos hombres. Pero no solo eso: en ocasiones, la mujer desea compartir su disfrute con un hombre y una mujer, para tener esa vivencia erótica tan especial, o él piensa que disfrutaría viendo cómo otro hombre mantiene contacto sexual con su pareja.

Esto no significa que si ocurre entre personas que tienen una relación consolidada también afectivamente, esta se haya deteriorado. Cuando esta fantasía se lleva a la realidad a partir de la pareja y con la incorporación de una tercera persona, se

Es indudable que ir en busca de nuevas experiencias revela placeres inéditos. Pero la imaginación será decisiva a la hora de asignarle un papel a cada uno de los componentes del trío para que la vivencia resulte extremadamente estimulante.

busca enriquecer la sexualidad de la propia pareja o salir de la monotonía a través de nuevos estímulos.

Una vez que los amantes asumen su mutuo interés por incorporar a un tercero a sus relaciones sexuales, se abren múltiples posibilidades. Que dos tengan sexo mientras otro simplemente mira; que los tres mantengan una relación simultánea y encadenada con sexo oral, penetración vaginal o anal, masturbación o intercambio de besos y caricias.

En ocasiones, la pasión de ese encuentro a tres es el resultado de una conversación anterior, de la incitación de dos a un tercero o de las alusiones que caldean el ambiente hasta hacer inevitable un trío porque el deseo vence a la inhibición.

61

JUEGOS DE ADULTOS

El sexo grupal, además del incentivo erótico que supone el intercambio de estímulos entre varias personas de ambos sexos o de diversas orientaciones sexuales, tiene otro aliciente. Es decir, desconocer lo que va a ocurrir, porque no depende de una decisión personal o de algo que se desea, sino del puro y simple azar marcado por las leyes propias del encuentro.

A diferencia de otras prácticas, el sexo en grupo no se puede llevar a cabo de forma espontánea, es preciso planificarlo. De modo que esa fase de preparación resulta muy incitante para quienes lo organizan y también para los invitados, porque sube la adrenalina ante la situación desconocida que se aproxima.

El *strip poker*, como su nombre indica, «póker desnudo», es un clásico, aunque puede jugarse de diversas maneras. Quien pierde está obligado a quitarse una prenda de ropa; se le puede sumar una incitadora variante: que la persona ganadora de una partida pueda escoger a alguien de entre los jugadores para mantener durante un breve lapso una relación sexual antes de reincorporarse al juego.

Depende de la personalidad y de las circunstancias de cada uno preferir que las personas que participen sean desconocidas o amigas.

En el sexo en grupo el aspecto lúdico está por encima de otras manifestaciones y prácticas sexuales. Son parte de la interrelación entre los participantes y una forma eficaz de crear un ambiente de confianza y generar deseo.

En las boutiques de artículos eróticos, y también a través de Internet, es posible hallar infinidad de juegos. Hay barajas de naipes que tienen figuras que representan posturas o actividades sexuales que hay que cumplir durante el juego; cubos cuyas distintas caras contienen palabras como tocar, senos, nalgas, labios, gemido o similares; ruletas que al detenerse el disco en un punto señalan una práctica erótica, e igual sucede con juegos de tablero semejantes a «la oca», donde la acción depende de la casilla en que se cae, entre otras muchas variantes posibles.

62

ANTICONCEPTIVOS NATURALES

El interés por disponer de métodos anticonceptivos eficaces tiene una larga historia que se inició en la Antigüedad. A medida que fueron ampliándose los conocimientos científicos, tanto médicos como farmacéuticos, se fueron hallando sistemas cada vez más seguros y cómodos que se adaptan a diversas personas y circunstancias. De manera que las parejas que deseen disfrutar del sexo sin concebir tienen hoy a su disposición una serie de variadas posibilidades.

Algunas personas son partidarias de los métodos anticonceptivos naturales por razones de salud, por sus convicciones religiosas o por sus ideas; es decir, que no pueden o no quieren ingerir sustancias químicas. Sin embargo, es necesario saber

Los métodos naturales para evitar embarazos son muy poco fiables y a menudo los provocan sin desearlos; además, no protegen del contagio de las enfermedades de transmisión sexual.

que los métodos naturales para evitar embarazos son muy poco fiables y a menudo los provocan sin desearlos; además, no protegen del contagio de las enfermedades de transmisión sexual.

Los tres métodos más comunes de anticoncepción natural son el llamado de «ritmo», el sistema de «Billings» y el conocido como «de temperatura basal». Todos se basan en determinar en qué momento del ciclo menstrual la mujer es más o menos fértil o no puede concebir.

El método de ritmo, conocido también como calendario o de Ogino Knauss, toma como punto de partida el día del comienzo de cada menstruación y va sumando los días hasta la jornada anterior de la siguiente regla para calcular en qué momento se produce la ovulación. El cálculo es restar 18 días al ciclo más corto y 11 al más largo. Si los ciclos menstruales son de 25 y 30 días respectivamente, no debe practicarse el sexo entre los días 7 y 19 de los mismos.

El otro sistema natural, conocido como de Billings o de secreción mucosa cervical, determina el período de ovulación dependiendo del tipo de mucosa que segrega el cuello uterino, porque esta es distinta en momentos de fertilidad, lo que se nota en la humedad vaginal.

El método de temperatura basal consiste en detectar los cambios de temperatura en nuestro organismo, la cual aumenta durante el periodo de ovulación. De modo que la mujer se controla poniéndose el termómetro cada día durante su ciclo menstrual y cuando nota que sube esto indica que está en su máximo punto de fertilidad. A la inversa, a temperatura normal del cuerpo, el riesgo de embarazo es menor.

También puede considerarse un método natural el conocido popularmente como «marcha atrás», cuando el hombre retira el pene de la vagina antes de eyacular. No obstante, es muy arriesgado, porque solo con las gotas de líquido preseminal que humedecen el glande durante la excitación se puede producir la fecundación.

63

ANTICONCEPCIÓN HORMONAL

Estos métodos anticonceptivos se basan en el mismo principio, y la cantidad de hormonas que contienen para modificar el ciclo fértil de la mujer es igual prácticamente en todos. Lo que cambia es la forma en que las recibe el organismo. Pueden ser pastillas, introducirse directamente en la vagina, como es el caso del anillo hormonal, o absorberse a través de la piel, administrándose la dosis de hormonas en un parche, así como también tratarse de implantes subcutáneos, colocando por debajo de la epidermis unas varillas que van liberando hormonas.

El ginecólogo es quien debe resolver qué es lo más apropiado para cada mujer, teniendo en cuenta que, como cualquier medicamento, sobre todo al principio,

Antes de utilizar cualquier anticonceptivo hormonal es conveniente leer detenidamente el prospecto que lo acompaña, sobre todo las instrucciones de cómo y cuándo usarlo, o en qué circunstancia conviene consultar al ginecólogo si aparece algún síntoma molesto. Igualmente es bueno hacerlo si se olvida una toma o ante cualquier duda.

puede generar efectos indeseados de mayor o menor intensidad: cefaleas, náuseas, dolor en los pechos o menstruaciones más o menos abundantes de lo normal. Asimismo, como ocurre con diversos fármacos, es posible que se produzcan interacciones entre estos anticonceptivos y otros medicamentos, por lo que el médico debe saber cuáles se están tomando para evitar molestias, trastornos o que se anule la acción, ya sea del anticonceptivo o de otras medicinas necesarias para mantener la salud.

Aunque es uno de los temores más frecuentes entre quienes utilizan estos métodos, conviene saber que esa forma de anticoncepción no influye en la fertilidad; en el momento en que se desee un embarazo, basta con dejar de protegerse con los anticonceptivos hormonales, sea cual sea la forma en que se utilicen.

Sin embargo, acaso su mayor inconveniente es que no ofrecen protección ante ninguna enfermedad que se contagie sexualmente.

LA MÁS CONOCIDA

La píldora es el método anticoncepti-vo hormonal más popular. Está compues-ta de las mismas hormonas que producen naturalmente los ovarios: estrógenos y gestágenos, que evitan la producción de óvulos y, por tanto, la mujer no puede quedarse embarazada.

Para mayor seguridad, la píldora altera las características de la mucosa que recubre las paredes del útero, evitando que pueda acoger un óvulo fecundado. Y, por último, la píldora espesa el moco vaginal, dificultando así el avance de los espermatozoides.

La constante investigación en este campo ha favorecido la aparición de nue-vas píldoras, con bajas dosis de estróge-nos y modernas sustancias para conseguir una mayor comodidad de uso, ausencia de efectos secundarios y una eficacia cada vez mayor, que actualmente es de un 99 por ciento.

Es muy importante tomarla correcta-mente para garantizar su efecto, y tanto leyendo el prospecto como consultando

A las mujeres a las que los estrógenos les producen efectos secundarios se les recomienda la minipíldora, cuyo contenido es únicamente de gestágeno. Aunque su eficacia no es tan alta como la de la píldora tradicional, es también un anovulatorio y se toma a diario, con una semana de descanso después de ingerirla durante 21 días seguidos.

al especialista se sabrá si en caso de olvi-
do o retraso en la hora de la toma sigue
siendo eficaz. Es recomendable tener un
envase de repuesto por si se pierde el
que está en uso e ingerir la píldora justo
antes o después de otro acto que se re-
pita a diario para evitar olvidos.

POR VÍA VAGINAL

El anillo hormonal es flexible, transpa-
rente y su diámetro externo es de 54 milímetros, midiendo transversalmente 4 milímetros.

Es posible que al principio resulte conveniente que el ginecólogo indique la forma correcta de ponérselo para que cada
mujer busque la posición más cómoda
para introducirlo en su vagina. Aunque se
coloca con facilidad, de la misma manera que un tampón, y se retira también sin
ninguna dificultad, reemplazándolo cada
tres semanas, es conveniente saber que
durante los siete días iniciales se deberá
utilizar además un método anticonceptivo
de barrera o un espermicida.

Siete días después de habérselo puesto, su contenido hormonal de estrógeno y progestina se va liberando poco a poco en la sangre, lo que impide la ovulación y espesa la mucosidad del cuello uterino para evitar la fecundación, al igual que la píldora de uso oral. Su eficacia para evitar embarazos se calcula que es de entre un 92 a un 99 por ciento.

LA PIEL COMO VEHÍCULO

El parche anticonceptivo pertenece también al grupo hormonal, con la diferencia de que su contenido de progestágeno y estrógeno se absorbe por vía epidérmica.

Se adhiere el primer día del ciclo menstrual a una zona de piel seca, sana y sin vello y libera constantemente las hormonas necesarias en cada momento del ciclo. Es tan eficaz como la píldora, se utiliza durante 21 días y después de siete de descanso se aplica otro, cambiando el lugar del cuerpo en que se fija. Los sitios más adecuados son nalgas, abdomen o la parte superior de los brazos.

El método anticonceptivo de barrera llamado DIU no es lo mismo que el DIU hormonal. Este último contiene gestágeno, aunque no estrógeno; de manera que está indicado en casos de intolerancia a esta hormona y también para mujeres con menstruaciones abundantes sin causa concreta. Una vez colocado, asegura cinco años de prevención ante embarazos no deseados.

A diferencia de lo que ocurre con los anticonceptivos de uso oral, en que es posible olvidar alguna toma, como está siempre puesto brinda constante protección.

CON INTERVENCIÓN DEL MÉDICO

Por último, otro anticonceptivo hormonal que ofrece el mercado es el implante que contiene progestágeno. Hace que desaparezca la ovulación durante los dos primeros años de uso, aunque el resto de la actividad ovárica continúa normalmente. También modifica las características del moco cervical para dificultar el paso de los espermatozoides.

Es el ginecólogo quien lo implanta, ya que se coloca bajo la piel, y lo hace durante los primeros días de la menstruación.

En general, protege durante tres años, pero se ha observado que en mujeres de mucho peso su eficacia disminuye bastante durante el tercero; de modo que en tales casos el especialista indicará si es preciso cambiarlo antes.

64

DE BARRERA PARA ELLAS

Son los anticonceptivos que se introducen en la vagina antes de tener relaciones sexuales para evitar embarazos no deseados. Tres son los métodos de barrera que se conocen actualmente: el diafragma, el DIU o dispositivo intrauterino, y el preservativo femenino.

El diafragma es un capuchón de látex flexible que se coloca en la vagina cubriendo el cuello del útero para impedir que los espermatozoides se encuentren con los óvulos y los fecunden. Su eficacia es mayor si se usa junto con una crema espermicida.

Cada mujer necesita un diafragma de distinto diámetro, porque el tamaño del cuello del útero varía de una a otra; por ese motivo debe recetarlo un médico

El diafragma actual fue creado en 1880 por un médico alemán, y se adoptó muy pronto allí y en Holanda; por eso también se lo llama «gorro holandés». En el antiguo Egipto ya se cubría el útero con primitivos diafragmas y en el siglo XVIII se usaba la mitad de un limón vaciado en parte para cubrir el útero: el ácido cítrico ampliaba la seguridad, repeliendo los espermatozoides.

después de medirlo. Lo adecuado es colocarlo aproximadamente seis horas antes de mantener relaciones sexuales y puede quitarse seis horas después, aunque nunca debe permanecer en el interior de la vagina más de 24 horas.

De su correcta colocación depende su eficacia; asimismo, hay que tener en cuenta que si se usan lubricantes tienen que ser acuosos porque los aceites deterioran el látex del diafragma.

Después de cada coito y una vez quitado, hay que lavarlo con agua tibia y un gel suave, aclarándolo luego muy bien, porque los restos de sustancias jabonosas pueden dañar el material con que está hecho. Periódicamente, cada tres o cuatro semanas, es preciso comprobar si se ha rasgado o tiene orificios llenándolo de agua u observándolo al trasluz.

Aproximadamente cada dos años debe reemplazarse por uno nuevo y también después de un embarazo, una operación pélvica o si se han ganado o perdido más de nueve kilos de peso. En cada una de estas ocasiones hay que volver a la consulta ginecológica para que el médico verifique cuál es la nueva medida de diafragma que se necesita.

DE LARGO EFECTO

El DIU, abreviatura de dispositivo intrauterino, también llamado espiral porque tiene esa forma, es flexible y se coloca en el interior del útero para que el esperma no llegue al óvulo y lo fertilice, así como también para impedir que uno ya fecundado se implante y desarrolle.

Es el ginecólogo el que lo pone y lo quita. Su eficacia anticonceptiva es de entre cinco y diez años y algunos modelos, según de qué material estén hechos, son útiles hasta los doce.

Hay mujeres que no sienten ninguna molestia cuando les colocan o les quitan el DIU; en cambio, otras registran un grado variable de dolor. Al no contener hormonas, tampoco tiene contraindicaciones. Sin embargo, en algunas mujeres se modifica el sangrado menstrual y es más abundante que antes de utilizarlo.

La eficacia anticonceptiva del DIU es de entre cinco y diez años, y algunos modelos, según de qué material estén hechos, son válidos hasta los doce.

¿PRESERVATIVOS FEMENINOS?

Los hay: el preservativo femenino es un anticonceptivo de barrera con la misma función que el condón, pero en este caso se coloca en la vagina.

Es una funda de poliuretano que incluye dos aros rígidos: en el extremo exterior, el aro mide unos diez centímetros de diámetro y en el interior es más pequeño. Estos dos aros sirven para colocarlo, el interno se introduce en la vagina, mientras que el externo queda fuera.

Aunque su uso es menos frecuente que el masculino, se vende en farmacias y puede colocarse hasta ocho horas antes del coito y utilizarse con lubricante de cualquier tipo, ya que es de poliuretano, razón por la cual también es adecuado para quienes tienen alergia al látex.

Sirve para una sola vez y se retira después de la eyaculación, retorciendo el aro externo y tirando del preservativo femenino con suavidad para que no se derrame semen en la cavidad vaginal.

Una de sus ventajas más importantes es que es un anticonceptivo de barrera, que además de evitar el embarazo también protege de enfermedades de transmisión sexual.

65

PROTECCIÓN ASEGURADA

El más común y el más antiguo de los métodos anticonceptivos es, sin duda, el condón o preservativo, que además tiene una característica que merece destacarse: es el más seguro no solo como protección ante posibles embarazos, sino como barrera para evitar el contagio de enfermedades de transmisión sexual, entre ellas, el síndrome de inmunodeficiencia adquirida (SIDA).

Por supuesto que su eficacia disminuye si el material del condón está en malas condiciones, ha caducado, se pone incorrectamente o se desgarra. Esto último ocurre involuntariamente a veces, por ejemplo, si se ha colocado un *piercing* en los genitales, al acariciar el pene con el preservativo puesto o cuando al colocarlo se le clavan las uñas.

Hoy es posible adquirir una enorme variedad de modelos de condones, que además de proporcionar seguridad y comodidad de uso han cambiado mucho su imagen tradicional, incorporando detalles que suman juegos divertidos y eróticos a las relaciones sexuales.

Están fabricados con diversos materiales: algunos tan finos que casi no se diferencian de la piel, y otros que tienen estrías o puntos en relieve en la parte exterior, lo que durante la penetración y los movimientos del coito produce un efecto sumamente estimulante en las paredes vaginales y el clítoris según la postura que se adopte.

Por otra parte, ciertos modelos sirven para excitarse mutuamente, porque tienen texturas especiales por dentro y por fuera; además, en la parte interior llevan anillas que, con el movimiento, se contraen y se extienden para favorecer la estimulación del pene. Esto resulta especialmente eficaz a los hombres, que han disfrutado largamente del sexo sin utilizarlos y que, al hacerlo, sienten que se inhibe su erección.

El contagio de ETS, micosis y otros trastornos que afectan a la zona genital debe prevenirse no solo si hay penetración vaginal o anal. Hay cuadrantes de finísimo látex para la práctica del cunnilingus o la excitación oral del ano. Las sensaciones son las mismas que cuando el contacto con la piel es directo por la ligereza del material.

Incluso algunos preservativos están elaborados con materias especiales para personas alérgicas al látex. Sus tamaños también varían: en cuanto a longitud, los más pequeños son de unos 17,5 centímetros de longitud por 5,1 de anchura, mientras que los mayores, que tienen la parte superior más amplia, miden entre 18,3 y 20 centímetros de longitud y entre 5,4 y 5,6 de anchura, aproximadamente.

Los hay incluso de formato anatómico; son los que se adaptan a la forma del pene, más anchos en la zona del glande, estrechándose por debajo de la corona del glande y volviendo a ampliarse en la parte que recubre el tronco.

Los condones más seguros son los tradicionales, pero se presentan otros de diferentes colores y sabores que es preferible reservar para el sexo oral precisamente por una cuestión de fiabilidad. Se elaboran incorporándoles esencias y, casi siempre, color y sabor están relacionados entre sí. Por ejemplo, el de color rosado sabe a fresa; el verde a manzana o el de tono do-

Recurrir al método de esterilización quirúrgica es seguro pero difícil de revertir; solo debe recurrirse a él si existe la convicción de no querer procrear. La vasectomía es la interrupción del curso de los conductos deferentes para que el semen que el hombre eyacula no tenga espermatozoides.

rado a vainilla. Estas variedades son más confiables si se usan apenas se compran, ya que pierden calidad al conservarlos durante largo tiempo.

66

LO QUE HAY QUE SABER

La única manera de protegerse de la transmisión de enfermedades (ETS) durante el contacto sexual es utilizar preservativos, tanto cuando hay penetración vaginal como anal e incluso durante la práctica del sexo oral. Desafortunadamente, solo un 10 por ciento de las mujeres, sobre todo las más jóvenes, que son un grupo especial de riesgo por su falta de información por lo general, asumen que pueden sufrir una enfermedad de transmisión sexual, mientras que el resto de ellas no lo toma en cuenta, aunque, sin embargo, el número de casos de contagio en los últimos años entre parejas estables ha ido en aumento.

Como en muchos problemas de salud de cualquier tipo, pero sobre todo en estos casos, es fundamental para tratarse, si se ha contraído una enfermedad, contar con un diagnóstico precoz.

DOLENCIAS GRAVES

Algunas enfermedades de transmisión sexual son infecciosas, como es el caso de la hepatitis B o el VIH, y además de contagiarse durante el coito sin protección también se transmiten por vía sanguínea, como, por ejemplo, cuando se comparten jeringuillas.

Por lo general, afectan a la zona genital, pero también pueden tener efectos sobre otros órganos como el hígado, los intestinos o las articulaciones, entre otros, y, sobre todo, sobre el sistema inmunológico, debilitándolo, lo que permite que se contraigan otras enfermedades al tener las defensas bajas y no poder combatirlas.

La mayoría de los afectados por estos trastornos tiene entre quince y treinta años de edad, siendo las consecuencias sobre el organismo diferentes según la gravedad de la enfermedad contraída.

Unas pueden causar dolor y lesiones en ciertas zonas que pueden ser revertidas con la medicación adecuada y oportunamente ingerida, y otras generan dolor durante toda la vida, esterilidad e incluso la muerte. Lo cierto es que su proliferación es muy veloz y de ahí la importancia de detectarlas cuanto antes; al menor síntoma extraño en la piel o los genitales es preciso acudir al médico de cabecera en primer lugar y que este decida a qué especialista resulta más conveniente consultar; puede ser un ginecólogo, dermatólogo o urólogo, según el caso.

Entre las más habituales ETS, actualmente se encuentran las de tipo fúngico como la clamidia, las tricomonas o la candidiasis que responden a tratamientos relativamente sencillos si no están en estadios muy avanzados; en otro grupo se engloban las infecciosas, como la gonorrea, la sífilis, el herpes genital, los condilomas y las peligrosas hepatitis B, el virus del papiloma humano (VPH) y el VIH o SIDA, siglas de síndrome de inmunodeficiencia adquirida.

El papiloma humano es un virus que afecta a hombres y mujeres y se contagia por contacto sexual. Este trastorno genera verrugas en los genitales o en la planta de los pies. Se conocen distintas variedades y diversos niveles de gravedad: algunos son cancerígenos o pueden desembocar en cáncer de piel, amígdala, faringe, esófago, cuello del útero, ano, mama, ovario, próstata o uretra.

67

DROGAS Y SEXUALIDAD

Según su efecto sobre el sistema nervioso, las drogas se clasifican en tres grupos: depresoras, estimulantes o perturbadoras.

Al primer grupo pertenecen el alcohol, la morfina y la heroína; al segundo, las anfetaminas, la cocaína, el éxtasis y otras drogas sintéticas similares, y en el último están la marihuana, el hachís, el LSD y las colas o pegamentos.

La idea de que las drogas intensifican la potencia, el placer sexual y la sensación orgásmica es falsa: ocurre exactamente al revés.

Sus primeros efectos de relajación o euforia pronto dan paso a la apatía o a un extremo nerviosismo, respectivamente, empobreciendo notablemente las relacio-

Las drogas son peligrosas para la salud en general. Al generar desatención y desórdenes de conciencia suelen olvidarse las precauciones durante el coito y se contagian enfermedades de transmisión sexual; además, sus secuelas negativas no acaban en quienes las ingieren; las personas adictas que deciden procrear se arriesgan a enfrentarse con malformaciones fetales o riesgo de abortos.

nes sexuales: él no consigue una buena erección, en ella desaparece el deseo, y ambas cosas se traducen en que resulta imposible llegar al clímax.

El alcohol dificulta la erección y merma la intensidad del orgasmo, y en cuanto a la heroína o la morfina, además de disfunciones en la erección y en la lubricación vaginal, pueden llegar a anular cualquier reacción erótica.

Las drogas estimulantes, en lugar de elevar el nivel de la libido y acrecentar el erotismo, generan un alto grado de ansiedad y euforia, desordenando tanto la percepción sensorial como el conjunto de la personalidad; hay descontrol en la eyaculación y provocan disfunciones eréctiles o priapismo, que consiste en una erección prolongada y dolorosa, y diversos trastornos en la mujer.

Por último, los alucinógenos crean percepciones ajenas a la realidad, con pérdida de las nociones de tiempo y espacio, provocando desórdenes que van desde ideas suicidas hasta agresivas hacia los demás.

68

A ELLOS PUEDE PASARLES...

Hay cierto tipo de problemas, con diverso grado de importancia, que están incluidos en el área de la salud y que afectan a la sexualidad, a los que en ocasiones los hombres deben enfrentarse.

Uno de ellos, aunque muy raro, es la rotura de pene; pese a que este órgano es móvil y de gran elasticidad puede lesionarse a veces durante el coito si los movimientos son muy bruscos. Lo que ocurre es que uno o varios de los cuerpos cavernosos que se alojan en el interior del falo y que le confieren su condición eréctil se rompen, generando un sonido especial y audible. Inmediatamente la erección desaparece, se siente dolor en el pene y este se pone de un color violáceo. Un episodio de este tipo requiere acudir inmediatamente al médico para suturar los tejidos rasgados. A veces, la lesión también implica a la uretra.

En este caso, el urólogo indicará si es necesaria una cirugía, que es el tratamiento habitual, para reparar la fractura, aunque eventualmente puede resolverse con reposo, medicamentos antiinflamatorios y la aplicación de frío sobre el miembro, en forma de cubitos de hielo recubiertos con un paño para evitar quemaduras en la delicada piel que lo recubre.

OTROS TRASTORNOS

El desgarro del frenillo es bastante frecuente; sucede cuando es muy corto y limita la retracción del prepucio al entrar el pene en erección, provocando una incurvación peneana; este problema puede ser más o menos grave: desde plantearle a él una cuestión estética hasta dificultarle el coito.

El desgarro puede ser parcial o total, lo que provoca dolor y una significativa hemorragia. Se trata con cirugía para suturar e incluso alargar el frenillo, y la intervención solo requiere anestesia local.

Antes de que el desgarro se produzca, muchos hombres notan molestias si el frenillo no se retrae, sobre todo durante la erección o la penetración; en lugar de soportarlas, lo mejor es acudir al especialista para que este examine el pene y, en ocasiones, evitar lesiones y desgarros practicando una sencilla intervención que se conoce como circuncisión.

Habitualmente se practica en niños pequeños, por razones culturales o religiosas, entre judíos y musulmanes.

Otros motivos para circuncidarse son de tipo físico, cuando el prepucio es demasiado estrecho e impide que el glande se deslice durante la erección provocando dolor; en este caso el problema se conoce como fimosis. Se trata de una cirugía menor, que deja el glande al descubierto para facilitar la erección por más intensa que esta sea.

Hay quienes sostienen que la circuncisión minimiza la sensibilidad del pene empobreciendo el placer sexual; sin em-

También hay hombres que tienen un prepucio demasiado largo, llamado «redundante», que dificulta la higiene del glande. Asimismo, la zona puede convertirse en un caldo de cultivo para posibles infecciones. Es otro de los casos que se resuelven por medio de la circuncisión.

bargo, esto no ha sido comprobado científicamente y, en cambio, los hombres que
han sido sometidos a esta intervención
tienen menos riesgo de contagiarse de
enfermedades de transmisión sexual o
de padecer infecciones urinarias.

EL PASO DEL TIEMPO

En la mediana edad la producción de
algunas hormonas disminuye y se expresa
en varios procesos biológicos, teniendo
con el transcurso del tiempo también incidencia en la sexualidad.

Los hombres no se sienten mal ni sufren molestia alguna, pero algunos advier-
ten a partir de los cincuenta años, y otros
sobre los sesenta, que el tiempo que necesitan para excitarse y lograr una buena
erección, no siempre muy firme, así como
para eyacular, es más largo que a edades
tempranas.

Pero esto no es en modo alguno una
«despedida» de la vida erótica, ya que
los hombres pueden mantenerse activos
sexualmente hasta muy avanzada edad,

porque el sexo no es solo fisiología y hormonas, sino, fundamentalmente, una cuestión de sensibilidad y emociones.

Es bastante frecuente que ellos tengan infecciones o inflamaciones en la próstata, conocidas como prostatitis; sus síntomas son incómodos, porque al orinar se siente dolor o se orina con mayor frecuencia y también puede que duela durante el coito.

Los prostatitis son de cuatro tipos: bacteriana aguda, también llamada infecciosa; bacteriana crónica; no bacteriana y prostatodinia. Es por eso que a partir de los cuarenta años hay que acudir a la consulta de un urólogo con el fin de controlar la salud de la glándula prostática.

Raros son los casos de hombres cuya próstata no aumenta de tamaño o volumen a partir de los cuarenta años. En personas jóvenes, la prostatitis no bacteriana es la de mayor incidencia, seguida de la prostatodinia; en cambio, casi no se registran entre este grupo de edad las prostatitis infecciosas o bacterianas crónicas.

69

A ELLAS PUEDE PASARLES...

Hay cierto tipo de trastornos femeninos, ocasionales o que se prolongan durante un determinado periodo, que conviene enfrentar cuanto antes para resolverlos definitivamente. Entre ellos, uno relativamente frecuente es el dolor durante la penetración y al frotar el pene las paredes del conducto vaginal en los naturales movimientos del coito.

Las sensaciones pueden ser de variado tipo, ardor o escozor en la vulva, en el conducto vaginal o un intenso escozor que crea bastantes molestias; esto se denomina en lenguaje médico dispareunia.

En la inmensa mayoría de los casos se origina por falta de una lubricación vaginal adecuada que puede deberse a un problema hormonal, aunque también la causan ciertas infecciones, malformación de los genitales internos, el haber cicatrizado mal la zona después de un parto o una cesárea, padecer diabetes, e incluso el uso de desodorantes íntimos que irritan los sensibles tejidos de esa parte del cuerpo.

Otros motivos que pueden incidir en el coito doloroso son los problemas de tipo psicológico, de mayor o menor importancia. A veces, la vagina no se lubrica suficientemente debido al cansancio o a la tensión nerviosa cotidiana que sufre un gran número de mujeres, lo que involuntariamente hace que el conducto vaginal se retraiga y estreche, así como el miedo a que un pene grande o demasiado grueso les cause dolor durante la penetración; eso basta para que se contraigan los músculos vaginales, generando rigidez.

Lo decisivo de encarar esta cuestión a tiempo es que si se repite y prolonga termina por agravarse, generando en ellas una ausencia total de deseo.

OTROS TRASTORNOS

El vaginismo, por lo general, tiene causas de origen emocional que pueden ser experiencias traumáticas del pasado como violaciones, temores a que la penetración sea dolorosa o mala información. En un 95 por ciento de los casos la ayuda psicológica es muy eficaz, porque raramente se resuelve de manera espontánea.

Es difícil hallar a una mujer que alguna vez no haya tenido micosis, sobre todo después de una regla o un parto, entre otros motivos; el porcentaje se cifra en un 75 por ciento de ellas. Estas son las infecciones vaginales generadas por hongos y la más frecuente de todas es la candidiasis.

Aunque no son graves, las micosis provocan síntomas muy molestos: picor, escozor, vulva hinchada y enrojecida, así como flujo vaginal de color y olor característicos, muy distintos de los habituales.

Cuando esto ocurre es necesario acudir a la consulta de un ginecólogo, que

La contracción automática e involuntaria de la musculatura vaginal, cuando lo natural es que se distienda ante la penetración, se llama vaginismo. Su intensidad varía de una a otra mujer: desde un leve estrechamiento que dificulta la entrada del pene, hasta un cierre total del conducto vaginal que genera dolor e impide el coito, aunque ella sienta un intenso deseo sexual.

extraerá una muestra de flujo vaginal para hacer un cultivo y determinar con exactitud de qué tipo de micosis se trata y poder recomendar el tratamiento más adecuado.

Suele ser en base a antibióticos fungicidas; una buena prevención para que no aparezcan estos problemas es no abusar de las duchas vaginales, evitar los desodorantes y aerosoles aromatizados, porque son irritantes, así como usar siempre ropa íntima de algodón.

NO ES UN ADIÓS...

Entre los cuarenta y cinco y los cincuenta años hacen su aparición una serie de cambios en la fisiología de las mujeres porque disminuye su producción de hormonas. Poco a poco, los ovarios van trabajando menos y más lentamente y la menstruación comienza a ser irregular hasta su ausencia definitiva.

Pero que ella ya no sea fértil desde el punto de vista reproductivo no significa que su deseo sexual no permanezca vivo.

Cuando la más importante hormona femenina, el estrógeno, merma o deja de producirse, a ciertas mujeres les provoca trastornos como dolores de cabeza, molestias articulares o sofocos; hay algunas sustancias naturales que consiguen paliarlos en gran medida. En cualquier caso, con el paso del tiempo se van espaciando estos síntomas y acaban por desaparecer.

Al contrario, sigue excitándose y deseando mantener relaciones sexuales; algunas mujeres, incluso, con la tranquilidad de no haber peligro de embarazo, sienten un renovado ardor erótico.

Puede notarse que la vagina se lubrica menos y se siente irritación o dolor durante la penetración, pero esto se resuelve usando cremas, óvulos o geles especialmente elaborados para resolver la cuestión. Por lo demás, seguir disfrutando de orgasmos, masturbándose o en pareja, mantiene el tono muscular pélvico y acrecienta la elasticidad y la lubricación vaginales.